Het raadsel van de Pyramide

Van dezelfde auteur

Arend van Dam

Het raadsel
van de Pyramide

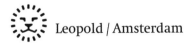
Leopold / Amsterdam

Eerste druk 2011
Copyright © tekst Arend van Dam 2011
Copyright © illustraties Wouter Tulp 2011
Omslagontwerp Nanja Toebak
Schutbladillustratie: de Pyramide van Austerlitz bij Zeist,
Otto Howen, 1807. Met dank aan de Universiteitsbibliotheek
van Leiden, PK 3345.
Uitgeverij Leopold, Amsterdam / www.leopold.nl
NUR 283 / ISBN 978 90 258 5766 0

Uitgeverij Leopold drukt haar boeken op papier met het
FSC-keurmerk. Zo helpen we waardevolle oerbossen te behouden.

Inhoud

'Hé, bent u niet...?'

'Wie het eerst boven is!'

'Ik, ik, ik, ik!'

Als een troep mussen rond een broodkorst storten de kinderen zich op de piramide.

Een meisje van een jaar of twaalf wint. Ze wordt op de voet gevolgd door een hevig zwetende jongen. 'Dit is niet eerlijk,' brengt hij hijgend uit. 'Jij zit op...' Halverwege zijn zin stopt hij, kijkt naar de man met het opschrijfboekje en vervolgt met: 'Hé, bent u niet...?'

De man knikt. 'Ja, ik schrijf kinderboeken.'

'Aha,' zegt het meisje. 'Dan gaat u zeker een boek schrijven over de piramide?'

'Knap geraden,' zegt de schrijver. Hij laat de eerste bladzijde van zijn aantekeningenboekje zien. Die is leeg. 'Ik heb alleen geen idee. Het is hier prachtig hoor, kijk zelf maar, daar in de verte zie je de kerktoren van Amersfoort. En daar... de Dom van Utrecht. Maar ik weet niet zo goed waarover ik schrijven moet. Waarom staat er een Egyptische piramide midden in het bos bij Zeist? Waarom is het bouwwerk genoemd naar een stadje in Tsjechië? En wat heeft dat allemaal met de Franse tijd te maken?'

Er strijken meer mussen neer op de top van de piramide. Ze kwetteren zo hard dat de schrijver zijn mond houdt.

Dan komt ook de leerkracht van de groep eindelijk boven aan. 'Jongens, luister eens. Over een kwartier gaat de speeltuin dicht, als jullie nog...'

Een paar tellen later is het weer stil. Alle kinderen huppen weer langs de flanken van de piramide naar beneden. Behalve die ene jongen en dat ene meisje.

'U bent toch schrijver?' begint de jongen. 'Nou, dan mag u toch gewoon uw fantasie gebruiken?'

'Ik begrijp het,' antwoordt de schrijver. 'Op een dag kwamen er aliens van een verre planeet en die bouwden hier een landingsplaats voor hun ruimtevaartuigen.'

'Ja, leuk!'

'Maar zo is het helemaal niet gegaan!' roept het meisje uit. Een meneer heeft er ons in het bezoekerscentrum over verteld. Tweehonderd jaar geleden was het hier een kale boel. Zand. Heide. En daar...' Ze wijst met haar hand. 'Daar lag een kilometerslange rij met soldatententen. Een paar jaar lang hebben er hier tussen Woudenberg en Zeist achttienduizend soldaten gekampeerd. Die namen stonden op een lijst.'

'Interessant,' zegt de schrijver. 'Maar ik voel er weinig voor om een boek te schrijven over achttienduizend soldaten. Een schrijver heeft een hoofdpersoon nodig. Het liefst een kind dat hier in die tijd woonde. Of beter nog: een paar kinderen die iets bijzonders hebben meegemaakt.'

'Misschien waren er in die tijd wel kindsoldaten?' oppert het meisje.

'Ik hoor het al,' zegt de schrijver. 'Je houdt van waargebeurde verhalen. Je hebt gelijk, ik heb een geschikte hoofdpersoon nodig. Misschien kan ik ook eens op die lijst met namen kijken. Ligt die in het bezoekerscentrum?'

Het meisje schudt haar hoofd. 'Die lijst zit in een koker die in het binnenste van de piramide begraven ligt.'

'Nou, dan weet ik het niet,' zegt de schrijver.

'Dan moet u toch maar uw fantasie gebruiken,' oppert de jongen glimlachend.

De schrijver schudt zijn hoofd. 'Dat is te gemakkelijk. Ik duik de archieven in. Misschien vind ik wel een dagboek, een brief, of een stukje in een krant uit die tijd.'

'Kom!' De jongen pakt het meisje bij haar mouw. De speeltuin trekt.

8

'Wacht!' zegt het meisje. 'Hoe komen we er nou achter of het u is gelukt?'

De schrijver haalt zijn schouders op.

'U stuurt ons gewoon het manuscript! Zo heet dat toch? Dan helpen we u.' Het meisje noemt de naam van haar school, een school in Woudenberg.

'Zal ik doen,' belooft de schrijver.

Precies een jaar later ligt er op het bureau van een juf in Woudenberg een witte envelop. Ze haalt er een dik pak papier uit. Eerst leest ze het bijbehorende briefje voor.

'Dit is het dan. Het verhaal van de Pyramide. Het heeft moeite gekost, maar ik heb ze gevonden: drie kinderen uit die tijd. Twee jongens van dertien en veertien, en een meisje van twaalf. Haar naam was Geertje Schmidt en ze... Nou ja, misschien kunnen jullie dat beter zelf lezen. Ik ben benieuwd wat jullie ervan vinden.'

Dan pakt de juf het hele pak papier en houdt het in de lucht. 'Is er iemand die dit manuscript graag zou willen lezen?'

Twee kinderen steken als eerste hun vinger in de lucht. 'Ik.' 'Ik.'

1804

De advertentie

Op donderdag 28 juni 1804 gaf Geertje eerst de drie honden te eten, hing toen het gewassen goed aan de waslijn, slenterde daarna over de markt waarbij ze tussen het vuilnis een krant vond die ze vervolgens geduldig voorlas aan haar vader en moeder. Niet dat Friedrich en Maria Schmidt haar echte ouders waren, maar waarom zou een weeskind dat haar echte ouders nooit heeft gekend, haar pleegouders het genoegen ontzeggen het nieuws uit de krant te vernemen? Zeker gezien het feit dat noch Friedrich, noch Maria de kunst van het lezen machtig was.

Ooit was Friedrich soldaat geweest. Maar dat was hem kennelijk slecht bevallen want hij praatte daar nooit over. Nu verdiende hij de kost door op kermissen en markten koopwaar aan te bieden. Maria deed waar mogelijk de was voor iedereen die dat maar wilde. Maar weinig mensen wilden dat, hoewel het leven vies en smerig was. Geertje moest geld inbrengen door op te treden met de honden.

'Is dat alles?' vroeg Friedrich, toen Geertje de krant begon op te vouwen.

'Wat zijn zoetelaars?' vroeg Geertje. Haar oog viel op een advertentie achter op de krant die begon met de tekst: *Burgers, marketenters, zoetelaars.*

'Dat zijn wij,' was het antwoord. 'Marktkooplui, verkopers, handelaars. Lees eens voor.'

Geertje begon hardop te lezen.

Burgers, marketenters, zoetelaars,

Op de heide nabij Zeist verrijst een legerkamp van ongeëvenaarde grootte. Twee Franse divisies en één Bataafse divisie slaan hun tenten op. Kooplieden van onbesproken gedrag worden van harte uitgenodigd hun kramen met koopwaar naar dit legerkamp te verplaatsen.

Ik bied u alle bijzondere veiligheid en bescherming.
Generaal Marmont

Geertje rolde de krant op en sloeg er Vos mee op zijn kop. De hond hapte naar de krant en rukte hem uit Geertjes handen.

'Generaal wie?' wilde Geertjes vader weten.

'Marmont.'

'Komt me bekend voor. Is dat niet de commandant van het Franse leger?'

'Zal best.' Geertje had geen interesse in soldaten.

'Waar moet je je aanmelden?'

'Ik zou het niet weten. Dat stond er niet bij.'

'Geef die krant eens hier!'

Vos was met de krant weggelopen. Hij zat onder de kar en scheurde hem aan stukken.

'Vos!' riep Geertje. Maar de hond luisterde niet. Ze drong niet verder aan. Ze had de hele advertentie voorgelezen. Wat moest haar vader met de krant? Hij kon hem zelf toch niet lezen.

Plotseling stond vader Friedrich op. 'Ga je moeder halen. We gaan erheen.'

'Waarheen?'

'Naar Zeist. Hier in Rotterdam kunnen we met moeite een droge boterham verdienen. Soldaten hebben geld. Ze willen worden vermaakt. Nou, komt er nog wat van?'

Speurend slenterde Geertje over de markt. Langzaam drong het tot haar door dat een klein stukje in de krant wel eens grote gevolgen kon hebben. Vos volgde haar op de voet. Hij liet een spoor van krantensnippers achter zich.

Het legerkamp

Drie dagen later stond Geertje aan de rand van een eindeloze vlakte. Haar mond viel open van verbazing. Overal waren mannen aan het scheppen.

'Wat sta je nou te kijken? Help liever de honden,' bromde Friedrich. Geertje wierp hem een vuile blik toe. Waarom commandeerde hij zijn vrouw niet? Maria stond ook te niksen met de handen in de zakken van haar schort. Maar toen Geertje de tong van de Duitse herder langs haar hand voelde schrapen, bukte ze zich om hem los te maken. Het beest was uitgeput. Ze moest ergens water vinden. Waarom hadden Maria en zij dat krankzinnige plan niet uit Friedrichs botte kop verjaagd? Hij had hen tot aan de woestijn gevoerd. Hier zouden ze jammerlijk omkomen door gebrek aan water, door gebrek aan alles.

Toen zag ze dwars door al het soldatengewoel iemand met een emmer lopen. Er gutste water over de rand. De jongen, die van haar eigen leeftijd was, ging met de emmer een leger- tent binnen die rijkelijk was versierd met vlaggen en vaan- dels.

Geertje pakte een pan van de kar.

'Kom Vos! Kom Marie!' riep ze. De jachthond en de poedel volgden haar op de voet. Thor bleef amechtig hijgend achter. Het dier was te moe om onder de kar vandaan te komen. Drie lange dagen had hij onder de vol beladen hondenkar gelo- pen. Al die dagen had Friedrich hem toegeroepen: 'Thor, trek! Trek! Trek! Trek!' En telkens als het dier niet snel genoeg rea- geerde, had het de schoen van zijn baas tegen zijn achterpo- ten gevoeld. Schop na schop.

Al snel vond Geertje de plek waar de jongen water had gehaald. Aan de rand van het bos was een waterput. Vos en Marie vulden hun magen met het water uit zanderige plas- jes aan de rand van de put. Ongeduldig wachtte Geertje haar beurt af. Toen vulde ze een pan met water uit de put. Ze dronk ervan tot ze bijna stikte.

Terug bij de kar zette ze de pan voor Thor op de grond. Het dier keek haar dankbaar aan.

'Wat krijgen we nou?' begon Friedrich.

'Dierenbeul,' zei Geertje. Ze maakte zich uit de voeten voor haar vader naar haar kon uithalen.

'Laat haar toch,' zei Maria. 'Zeg liever wat we nu moeten doen. Waar slapen we? Hoe komen we aan eten? En aan geld? We hebben onderweg ons laatste geld uitgegeven.'

'Rustig nou maar,' zei Friedrich die voor zijn doen in een opperbeste stemming was. 'Eerst moeten we een geschikte plek vinden om onze tenten op te slaan. Dan is het een kwes- tie van uitpakken, uitstallen en binnenlopen. Zie je al die sol- daten? Het zijn er honderden. Soldaten hebben altijd gebrek aan alles.'

'Net als wij,' vulde Geertje aan. Maar Friedrich deed of hij haar niet hoorde. Hij voegde de daad bij het woord, duwde de kar tussen twee bomen en begon uit te pakken. Op het moment dat Geertje hem wilde gaan helpen, kwam er iemand wild gebarend op hen af. Toen hij wijdbeens voor Friedrich ging staan, torende hij hoog boven hem uit.

'Wat gaan we doen?' vroeg de man.

'Dat zie je toch zeker wel,' antwoordde Friedrich. 'Generaal Marmont heeft me uitgenodigd hier mijn waren te komen verkopen.'

'Generaal Marmont heeft bepaald dat alle marketenters, zoetelaars, muzikanten en andere gekken op die plek daar moeten gaan staan.' Hij wees in de verte. Nu zag Geertje het pas. Aan de rand van een verhoging in het landschap waren meer kooplieden aan het werk. Sommigen hadden kramen opgebouwd. Anderen waren bezig bouwsels te maken van takken, boomstammetjes en tentdoek.

Friedrich zag het ook. Hij vloekte binnensmonds.

De lange man lachte. 'Wat had je dan gedacht, dat je hier de enige was?'

'Kun je ons niet even helpen?' vroeg Friedrich brutaal. Maar de man liep schouderophalend weg. Het kostte Geertje en haar ouders een uur voor ze de spullen hadden afgeladen en naar de heuvel hadden gesjouwd. Ten slotte hadden ze de lege kar door het mulle zand naar hun nieuwe woonplek versleept.

Friedrich bleef met een kwade blik naar de andere kooplieden kijken alsof hij werkelijk had gedacht dat hij de enige marketenter was die zich had laten lokken door de advertentie in de krant.

'Welkom in het paradijs, buurman,' klonk het plotseling vrolijk. Een jonge, maar kale man kwam met gestrekte hand op Friedrich af. 'Mijn naam is Petrus Jodocus. Petrus Jodocus van Oosthuyse.'

Friedrich deed alsof hij het te druk had voor een begroeting. 'Laat die vent zich met zijn eigen zaken bemoeien,' zei hij tegen Geertje.

Geertje keek naar de uitstalling van de kale man met de grappige naam. Zijn handel lag er keurig bij: mooie, kleurige stoffen op rollen, kousen, sokken, hemden, schoenen. De man zag haar kijken. Hij maakte een knipoog. 'Ik ben kleermaker. En ik maak knopen,' zei hij vriendelijk.

Geertje knikte maar besloot verder haar mond te houden. Ze wilde zich de woede van haar vader niet op de hals halen.

Het grommen dat ze hoorde bleek niet van de honden te komen, maar van Friedrich die haar, toen ze opkeek, toesnauwde: 'Ik moet nodig schijten. Zoek jij eens uit waar die lui dat hier doen!'

Geertje was blij met de opdracht. Het gaf haar de tijd eens rustig rond te kijken in het kamp. 'Thor, Vos, Marie!' riep ze. Thor bleef weigerachtig liggen onder de kar die hij toch moest vervloeken. Vos en Marie holden achter haar aan. De poedel probeerde zigzaggend tussen haar knieën door te springen. Ze moest erom lachen. 'Nee, Marie-Antoinette, het is nog geen tijd voor kunstjes.'

Met de twee honden dwaalde Geertje door het kamp. Het was vele malen groter dan ze had gedacht. De honderden soldaten – misschien waren het er wel duizenden – hadden met hun scheppen een lange strook grond egaal gemaakt. Zover Geertje kon kijken zag ze rijen tenten in aanbouw. Achter elke rij waren kuilen gegraven. Rondom de kuilen waren eenvoudige schotten neergezet die weinig privacy boden. 'Vertel de baas maar dat hij alleen maar zijn neus achterna hoeft te gaan,' zei Geertje tegen de honden. 'En anders volgt hij gewoon het spoor van de strontvliegen.'

Marie kefte en begon op haar achterpoten te lopen. Hoofdschuddend liep Geertje verder. Ze was nog niet van plan om terug te gaan naar haar nieuwe huis. Huis? Er was nog helemaal geen huis! Waar moest ze slapen? Hoe lang zouden ze hier blijven? Een week? Een maand? Een...

Bijna botste ze tegen iemand op. Het was de jongen die ze eerder had gezien. Hij liep gebukt achteruit en speurde de grond af.

'Wat zoek je?' vroeg ze beleefd.

'Dat gaat je niets aan.'

'Misschien kan ik je helpen.'

'Jij?'

'Of mijn hond.'

De jongen richtte zich op en keek van Geertje naar haar honden.

'Ik zoek een zilveren knoop,' zei hij toen zacht. 'Van het uniform van mijn vader.'

'En wie is je vader als ik vragen mag?'

'Hij is bevelhebber van het Bataafse leger: divisiegeneraal Jean Baptiste Dumonceau.'

'En dan heet jij zeker toevallig ook Dumonceau? Mij hou je heus niet voor de gek. Je ziet er helemaal niet uit als het zoontje van een commandant.'

'Ik heet François,' zei het zoontje van de bevelhebber van het Bataafse leger.

Ze zag dat de jongen probeerde zichzelf door haar ogen te bekijken. 'Volgend jaar ga ik naar de militaire academie,' verweerde hij zich. 'Dan krijg ik mijn echte uniform.'

'Ja, ja.'

François bukte zich en haalde een uniformjas uit de linnen zak naast zijn voeten. 'Dit is hem. Ik moest hem ophalen in Zeist. Het is de nieuwe jas van mijn vader. Maar nu ontbreekt er ineens een zilveren knoop.'

'Hoe kan dat nou?'

De jongen knikte en herhaalde Geertjes woorden: 'Hoe kan dat nou?'

'En hij is niet uit die zak geweest?' vroeg Geertje streng.

De jongen begon te blozen. 'Hier ergens heb ik hem eruit gehaald om hem te passen.'

Geertje probeerde zich voor te stellen hoe de verlegen jongen er in een generaalsuniform uitzag. Slungelig en onnozel, dacht ze.

'Het is een prachtige jas,' zei ze, bij gebrek aan beter.

'Maar een stuk minder mooi zonder die knoop. Als mijn vader het ziet...'

'Vos!' riep Geertje. De hond kwam aan haar voeten liggen. 'Het is een goede speurhond,' zei ze tegen François.

Ze duwde de hond met zijn vieze snuit tegen de smetteloze jas. 'Vos, zoek!'

Kwispelstaartend begon de hond zigzaggend door het soldatenkamp te rennen.

'En wie ben jij eigenlijk?' vroeg François.

'Ik heet Geertje. Geertje Schmidt. Mijn vader is marketenter. Hij verkoopt schoensmeer, schoenveters, scheerzeep, reukwater en pijptabak. En als je wilt dat ik hem ernaar vraag... misschien heeft hij ook wel knopen.'

'Nee, bedankt. Ik kan mijn vader niet voor gek laten lopen. Straks komt generaal Marmont het leger inspecteren. Daarna beginnen de manoeuvres. Het wordt de grootste legeroefening die ooit is gehouden.'

'Opschepper.'

'Je bent zelf een opschepper,' mopperde François. 'Die hond van je heeft alleen maar een neus voor eten.'

Samen keken ze naar Vos die uit een van de soldatententen tevoorschijn kwam met een worst in zijn bek. Hij werd meteen gevolgd door een boze soldaat die 'Houd de dief!' riep.

François en Geertje maakten zich snel uit de voeten. Half struikelend over hakhout, kookpotten en musketten bereikten ze het pad. Daar zag Geertje tot haar schrik dat Vos bijna onder de wielen terechtkwam van een boerenwagen.

'Kun je niet uitkijken, sukkel!' riep ze naar de jongen op de bok.

'Is die worst op vier poten van jou?' klonk het lacherig. 'Vertel me liever waar ik Van Oosthuyse, de kleermaker, kan vinden.'

'Als we met je mee mogen rijden, wijs ik je de weg,' zei Geertje snel. Ze klom aan de achterkant op de kar en ging op een stapel planken zitten.

De zoon van de bevelhebber keek haar vragend aan. Ze moest hem helpen. Ze stak haar hand uit. Hij wierp haar de linnen zak toe, die ze met moeite opving en naast haar neerlegde. In plaats van op de wagen te klimmen, holde François aan de rechterkant van de kar mee. Gebukt, alsof hij zich wilde verstoppen.

Geertje keek naar de blozende wangen van de jongen op de bok. Hij zag er niet uit als een stadskind zoals François en zijzelf. 'Woon je hier?' vroeg ze om het zeker te weten.

'Hier vlakbij,' zei hij stug. 'We hebben een hoeve in Woudenberg. Kun je dat rare hondje niet uit de buurt van mijn paard houden? Hij wordt onrustig.'

'Hij zoekt,' zei Geertje. 'Zorg liever dat je je paard in de hand hebt.'

Plotseling leek het of Vos een spoor gevonden had. Hij rende recht op een luxe legertent af.

'We hebben beet!' riep Geertje. 'Vos heeft een spoor gevonden.'

'Nee, nee!' gilde François. 'Dat is de tent van mijn vader.'

Het was al te laat. De hond kwam naar buiten met een flink brood tussen zijn kaken. De bevelhebber, die in zijn hemd voor de tent zat en werd ingezeept door een barbier, sprong op en rende achter Vos aan.

Op het moment dat Vos in Geertjes armen sprong, ontdekte de bevelhebber zijn zoon. Verbaasd bleef hij staan en riep: 'Waar was je nou? Waar is mijn jas?'

Met een rood hoofd bleef François al bukkend naast de wagen hollen. Hij deed Geertje denken aan een klein kind

dat denkt onzichtbaar te zijn zolang het zijn ogen dichtge-
knepen houdt.

Aangekomen bij de kramen van de marketenters, riep
Geertje naar de jongen op de bok: 'Hé, jij!'

'Hannis,' zei de jongen, achteromkijkend.

Ze wees met haar vinger. 'Die kraam daar is van de kleermaker.'

'Bedankt.'

'Wat een waardeloze hond,' mopperde François. 'Alles wat
hij gevonden heeft is een worst en een brood. En nu heeft
mijn vader me nog gezien ook.'

'Ja,' gaf Geertje toe, 'het is niet echt een speurhond. Maar
hij durft wel door een hoepel te springen die in brand staat
en hij kan op zijn achterpoten dansen met een steek op zijn
kop. Mijn vader is met zijn hondenshow beroemd geworden
in het hele land.'

François bleef chagrijnig kijken. 'Wat heb ik daaraan? Ik
dacht dat je me zou helpen.'

'Heb ik ook gedaan,' zei Geertje, terwijl ze van de wagen
sprong. Waarna ze zich naar de soldatenjongen omdraaide

en zei: 'Als je achter Hannis aanloopt, kom je vanzelf bij Petrus Jodocus de knopenmaker terecht. Als die je niet kan helpen, weet ik het niet meer.'

Friedrich kwam dreigend op haar af, klaar om een paar tikken uit te delen. 'Waar was je? Had ik je een dagje vrijaf gegeven?'

Gelukkig werd hij snel afgeleid door de activiteiten bij de kraam van zijn buurman.

François bedelde om een knoop die hij niet kon betalen.

Hannis vroeg om hulp bij het lossen, maar kreeg die niet.

'Wie zijn die jongens?' vroeg Geertjes vader.

'Weet ik veel. Die ene zoekt een knoop.'

'Zeg dat dan! Ik heb knopen genoeg.' Friedrich begon in zijn spullen te rommelen en haalde de knopendoos tevoorschijn. Hij begon ermee te rammelen en riep: 'Knopen te koop! Knopen te koop!'

Van Oosthuyse glimlachte minzaam en riep terug: 'Het is al geregeld, buurman.'

Wat er geregeld was, liet zich snel raden. François begon Hannis te helpen de wagen te lossen. Ze stapelden de planken netjes op naast de kraam. Ondertussen naaide de kleermaker een glimmende knoop aan de generaalsjas.

Geertje kreeg een mep met een borstel. 'Had je dat joch niet meteen naar mij kunnen sturen, vervelend nest?'

Regen en modder

Friedrich Schmidt, de man tegen wie Geertje 'vader' moest zeggen, werkte zich dagenlang in het zweet om een onderkomen te bouwen. Alle jonge bomen die in de buurt stonden, hakte hij om, bouwde er een gammele constructie van en overdekte die met stukken zeildoek.

Groen van jaloezie keek hij af en toe naar zijn buurman Petrus Jodocus die in dezelfde tijd van planken een complete winkel in elkaar timmerde.

Naar Geertje werd niet omgekeken. Friedrich kon haar niet gebruiken. 'Ga je moeder maar helpen,' zei hij.

Geertjes moeder had zich met wastobbe en al gevestigd naast de waterput. Maar er meldde zich niemand voor de was.

'Probeer maar wat geld te verdienen met de honden,' opperde Maria.

Geertje zette alles klaar voor de hondenshow. Ze tooide de poedel met een strik van kant.

Toen begon het te waaien en te regenen.

In een paar uur tijd veranderde het kamp van Zeist in een modderpoel. Friedrich Schmidt probeerde scheldend en tierend zijn wankele koninkrijk te redden. Vergeefs. Eerst begon de tent op honderd plaatsen tegelijk te lekken. De zeilen klapperden kapot.

Vanuit zijn plankenwerkplaats keek Petrus Jodocus van Oosthuyse glimlachend toe. 'Hulp nodig, buurman?' riep hij toen de tent instortte.

'Bemoei je met je eigen zaken!' antwoordde Friedrich kortaf.

Geertje moest helpen de boel bij elkaar te houden. Geertje moest helpen de balken weer aan elkaar te binden. Geertje moest helpen de gescheurde stukken zeildoek te herstellen. En toen het eindelijk ophield met regenen moest Geertje pap koken. Dat deed ze met plezier. Ze verging van de honger.

Na de pap, die niet alleen klonten maar ook flink wat zand bevatte, kneep Geertje ertussenuit. Op haar blote voeten ploegde ze door het natte zand. En ze deed een wonderlijke ontdekking. Dat het kamp veranderd was in een chaos, verbaasde haar niet. Wat haar verbaasde was dat het kamp veel groter was dan ze had gedacht. Ze liep van de waterput naar een volgende waterput. En van die put naar een volgende. Ze telde er vier, vijf, zes, zeven... Ze keek zo ver ze kijken kon. Waterputten, tenten in rijen. Er kwam geen eind aan de rijen. Tenten tot voorbij de horizon.

Geertje besloot dat de horizon te ver was voor haar wandeling. Ze glipte achter een paar ingezakte tenten langs en liep in de richting van de plek waar ze de tent van de bevelhebber vermoedde.

Vanuit de verte zag ze de jongen die François heette al aan een tafel zitten. Aan zijn voorovergebogen houding en de veer in zijn hand zag ze dat hij schreef. Ze durfde niet dichtbij te komen. Bij de tent van de bevelhebber hielden soldaten de wacht.

Het was dat François opkeek en haar opmerkte anders had Geertje nooit geweten dat de jongen een dagboek bijhield.

'Wat schrijf je?' vroeg ze toen ze naast zijn opvouwbare tafel stond.

'Ik schrijf over alles wat ik meemaak,' zei hij.

'En wat is dat dan?' vroeg Geertje. Ze wees naar een tekening in het opschrijfboek.

'Ik probeer een plattegrond te tekenen van het kamp,' antwoordde François. Geduldig gaf hij uitleg. 'Hier zijn we nu. Dit is de tent van mijn vader. Hier ergens is jullie markt. Zo zijn er drie. Hier is er nog een. En daar nog een.'

Het getekende kamp verbaasde Geertje nog meer dan

de oneindige wereld die ze zag tijdens haar wandeling. Het leek alsof iemand achteloos een kaarsrechte liniaal had neergelegd op het ruige natuurlandschap. Ook al klonk het misschien onnozel, ze moest het zeker weten. 'Is er echt meer dan één markt?'

'Dat zei ik toch,' zei de jongen, lachend. 'Het zijn er wel drie. Voor elke divisie één.'

'Divisie?'

'Het leger bestaat uit drie divisies: twee Franse en één Bataafse divisie. Elke divisie telt ongeveer zesduizend manschappen.'

Het was duidelijk dat de jongen er plezier in had een lesje legerkunde voor haar op te lepelen.

'Een divisie bestaat uit acht bataljons. Een bataljon bestaat uit 700 soldaten. Plus wat er verder allemaal nog bij rondloopt. Alle bataljons zijn opgedeeld in linies. Over een paar dagen beginnen de manoeuvres.'

Geertje hield haar mond. Ze kon toch kwalijk bij ieder moeilijk woord laten blijken dat ze van toeten noch blazen wist.

'Het worden de grootste oefeningen die er in de Noordelijke Nederlanden ooit gehouden zijn.'

'En dan kom jij zeker uit de Zuidelijke Nederlanden?' vroeg Geertje. 'Ik hoor het aan je uitspraak.'

'Mijn familie komt uit Brussel. Daar ben ik ook geboren. Mijn vader is in 1795 met generaal Pichegru de rivieren overgetrokken om Holland te bevrijden van de Oranjes.'

'Nou, jullie worden bedankt.'

'Nu in Frankrijk Napoleon aan de macht is, wordt iedereen gelijk behandeld. Vrijheid, gelijkheid, broederschap.'

'En jij gelooft daarin?'

'Jij niet? Het is toch fijn dat iedereen gelijk is? Kijk naar jezelf. Kijk naar mij. Wij krijgen allebei dezelfde kansen om iets van ons leven te maken.'

Geertje keek naar zichzelf. Ze zag een armoedig meisje in een versleten jurk, een jurk die vast ooit van een rijk leeftijdgenootje was geweest, een meisje met pijpenkrullen in het haar dat had staan draaien en keren voor de spiegel om de nieuwe aanwinst te bewonderen. Die jurk was nu verschoten en gescheurd. Geertje keek naar François. Ze zag een goed geklede zoon van een divisiegeneraal. Waren ze gelijk? Was het maar waar! Dan zou ze een kniksje voor hem maken zoals ze rijke dames had zien doen. Of misschien zou ze haar zijden zakdoekje met een achteloos gebaar voor hem op de grond werpen. En als hij het beleefd blozend voor haar opraapte, zou ze tegen hem zeggen: 'Vanavond is er een bal in de grote zaal van het paleis. Zullen we elkaar daar ontmoeten, op de dansvloer?' Of was het niet deftig, als gelijke meisjes tegen gelijke jongens zulke dingen zeiden? Geertje hield van deftig. Daarom hield ze ook veel meer van prinsen en prinsessen dan van patriotten. Ze wist heus wel wat de patriotten met hun verlichting bedoelden. Dan bedoelden ze niet de kandelaars en de straatlantaarns, maar de wijsheid van de gewone mensen. Geertje hoefde niet zo nodig verlicht te worden, het leven op straat, op de kermis, achter de marktkraam, met de honden, had haar al wijs genoeg gemaakt. Een van de dingen die ze had geleerd was dat mensen altijd de baas willen spelen over anderen.

'Die Napoleon,' zei ze, terwijl ze de jongen tegenover haar strak aankeek, 'is die wel zo gelijk? Hoeveel landen heeft hij al onder de voet gelopen? Ze zeggen dat hij zelfs Egypte heeft kleingekregen en dat ligt hier toch niet om de hoek.'

'Napoleon wil alle landen bevrijden van de achterlijkheid. Ik weet er alles van, want mijn vader heeft het allemaal zelf gehoord van generaal Marmont. En die kan het weten, want die heeft Napoleon vergezeld naar Egypte. Aan de voet van de piramides hebben ze slag geleverd met de struikrovers uit de woestijn.'

Geertje probeerde zich een voorstelling te maken van piramides en van struikrovers, maar noch het een noch het ander lukte.

Blijkbaar keek ze tijdens dat denkwerk ontzettend onnozel want François begon in de kantlijn van zijn opschrijfboek een wonderlijk tekeningetje te maken. Pas toen hij naast de driehoekige vormpjes een kameeltje tekende, kreeg het ding reusachtige proporties.

'Een piramide,' zei hij, terwijl hij de tekening naar haar toe draaide, 'is een graftombe voor een Egyptische farao. Na zijn dood wordt zo'n koning gemummificeerd, dan blijft zijn lichaam bewaard voor in de eeuwigheid.'

'Dat zal wel,' zei Geertje die het bouwen van piramides en het mummificeren van koningen heel veel moeite vond voor niks. 'Ik moet weer eens gaan.'

'Ik woon in Groningen,' zei François, alsof dat er iets toe deed.

'Met je moeder?'

De jongen schudde zijn hoofd.

'Je moeder is meegekomen? Wonen jullie met z'n allen in die grote tent?'

De jongen zweeg.

'O, sorry, ze is zeker in Brussel gebleven. Wat zielig voor je.'

'Mijn moeder is dood.'

Geertje zocht naar woorden. Ze was vast onbeleefd geweest. Ze had niet zo door moeten zeuren. Gek genoeg verbaasde het haar dat iemand als François opgroeide zonder moeder. Alsof het ongeluk alleen arme kinderen treft.

'Ach,' zei ze om de stilte te vullen. 'Er zijn wel meer kinderen die geen eigen vader en moeder hebben.'

François knikte. 'Ik heb een nieuwe moeder.'

Diep vanbinnen begon het bij Geertje te gloeien. Zij en deze Brusselse jongen hadden iets gemeen. Ze waren gelijk. Ze deelden een droef lot.

Ze keek naar de verse woorden in het dagboek. Wat zou ze tussen die woorden graag haar eigen naam herkennen. Het lag haar op de lippen om te zeggen: 'Ik weet hoe je je voelt, want ik heb ook geen ouders meer.' Maar ze deed het niet. Ze draaide zich om en ging er als een haas vandoor.

Regels

Er gingen dagen voorbij dat Geertje geen kans zag om weg te komen. Ze stond achter de kraam met reukwatertjes, tabak, spelden, garen, zeep, scheermessen, borstels, veters, pepermunt, koffie, thee, suiker, zout, zakmessen en lepels; kortom alles waar een mens om verlegen kan zitten als hij van huis is.

Van vader Friedrich had ze weinig last. Hij moest steeds verder weg trekken om hout te zoeken. Het weinige bos dat de heide een paar weken eerder nog omzoomde, was grondig vernield. De soldaten sleepten takken en stammetjes naar het kamp om hun tenten te verstevigen. Sommigen overkapten hun tenten helemaal met hout. Er werden schuurtjes gebouwd en schuttingen om de wind en het opstuivende zand tegen te houden. Alles wat te klein was voor gebruik als bouwmateriaal, ging in het vuur. Ook al was zo langzamerhand elke linie voorzien van een eigen waterput, een wasplaats en een keuken, de meeste soldaten hielden ervan om 's avonds vuurtjes te stoken en daarboven hun stokbroden en buitgemaakte haasjes of kippetjes te garen.

Geertje hoopte vurig dat op een dag de zoon van de generaal weer voor haar zou staan. Ze begreep wel dat de kans niet erg groot was dat hij bij Friedrich om haar hand zou komen vragen, maar als hij dan tenminste maar zijn vrolijk lachende gezicht kwam laten zien.

Op een warme dag in juli hoorde Geertje plotseling lawaai uit de richting van het bos komen. Er werd gescholden en geschreeuwd. Toen ze het tentzeil opzij deed om te kunnen kijken, zag ze een wonderlijk tafereel. Divisiegeneraal Dumonceau dreef als een koeienjongen een kudde sjokkende soldaten en kooplieden voor zich uit. In plaats van een herdersstok, zwaaide hij woedend met zijn zwaard en riep: 'Het is verboden. Het is ten enenmale verboden om zonder toestemming hout te kappen. Dit legerkamp moet een voorbeeld zijn. Jullie maken er een zootje van. Er zijn regels. En van nu af aan worden die regels stipt nageleefd. Ook door de marketenters. Of kunnen die soms niet lezen?'

De honden hadden Friedrich als eerste in de gaten. Thor holde blaffend vooruit om zijn baasje te begroeten. Maar die gaf hem een schop en liep zonder op of om te kijken naar zijn wankele bedoeninkje tussen de marktkramen.

'Is er iets?' vroeg Maria geschrokken, toen ze het gezicht van haar man zag.

'Had ik juist een paar aardige boomstammetjes te pakken, komt de een of andere halvegare huzaar ons het bos uit jagen.'

Het lukte Geertje niet haar mond te houden. 'Die halvegare huzaar was de divisiegeneraal zelf,' zei ze brutaal.

'Maakt dat wat uit, bemoeial? Loop je weer te niksen? Kun je niet...'

Meteen had Geertje er spijt van dat ze haar mond had opengedaan. Gelukkig zag haar vader achter haar iets gebeuren dat zijn aandacht opeiste, want hij gilde: 'Wat krijgen we nu? Daar heb je die boerenkinkel weer. Die pierlala gaat gewoon door met hout jatten!'

Geertje hoefde maar om te kijken om te zien over wie Friedrich het had. De kinkel was Hannis die zijn tweespan vol hout het terrein op stuurde. Hij werd opgewacht door de grote concurrent van haar vader: Petrus Jodocus van Oosthuyse.

Met opgestoken veren beende Friedrich op zijn buurman af. 'Kun je niet lezen, kale neet? Het kappen van bos is ten strengste verboden!'

'Ga even opzij, Schmidt. Laat me mijn werk doen. Dit hout is van mij.'

Friedrich bleef staan waar hij stond en deed zijn armen over elkaar. 'Gelden de regels soms niet voor jou, stiekeme stroper?'

Petrus Jodocus keek Geertjes vader aan en zei met gespeelde beleefdheid: 'Vol gaarne leg ik u uit hoe ik aan deze partij ben gekomen. Omdat ik een handelaar ben met gevoel voor zaken, heb ik van een bevriende boer een perceel bos gekocht. Nu laat ik de zoon van deze boer wat van mijn eigen hakhout bezorgen. Dat hout is bestemd voor verkoopdoeleinden. Dus mocht u om hout verlegen zitten, dan ben ik bereid dit voor een voordelige prijs aan u te leveren.'

Friedrich Schmidt was met stomheid geslagen.

Geertje keek naar Hannis. Die manoeuvreerde de wagen langs haar vader naar de houten winkel van Van Oosthuyse. Daar begon hij zijn vracht te lossen.

Witheet van woede kwam Geertjes vader terug naar zijn eigen kraam.

Geertje overwoog Hannis te gaan helpen, maar ze durfde niet. Niet onder de ogen van haar vader.

'Hout te koop! Hout te koop!' klonk het uitdagend op de achtergrond.

'Ik hoop dat die man stikt in zijn hout,' bromde Friedrich tegen zijn vrouw.

'Die man heeft wel gevoel voor handel,' mompelde Maria.

'Wat zeg je?' brulde Friedrich.

Geertjes moeder speelde de vermoorde onschuld: 'Wie, ik?' Ze moest zich uit de voeten maken om geen klappen te krijgen.

Scheldend holde Geertjes vader achter haar aan. 'Als je nog één keer je mond open durft te doen, laat ik me van je scheiden, kinderloze niksnut.'

Geertje voelde de blikken van Hannis en Petrus Jodocus. Ze hoefde zich nergens voor te schamen. Eigenlijk was het wel prettig als anderen de waarheid kenden. Ze deed een paar stappen in Hannis' richting.

'Heb je die François nog wel eens gezien?' vroeg ze.

'Dat verwende ventje?'

'Ja, die.'

'Nee.'

'Dat verwende ventje is anders wel het zoontje van een divisiegeneraal.'

'Nou, en?'

'Zij zijn hier de baas.'

'Dat mochten ze willen.'

'Volgens François zijn we hier op Frans grondgebied. Dat heeft de opperbevelhebber zo besloten.'

'Je bedoelt die Marmot?'

'Marmont.'

'Wat maakt het uit? Die Fransen kunnen wat mij betreft de pot op. Ze kunnen hoog en laag springen, maar of ik nou hier sta, of hier...' Hannis deed een stap naar rechts. 'Of hier...' Hannis deed twee stappen naar voren. 'Het is allemaal Woudenberg. Dit is ons land.'

Geertje keek naar het zand onder Hannis' voeten. 'Alles wat ik zie is Egyptische woestijn,' zei ze lachend. Ze wilde er iets aan toevoegen over struikrovers op kamelen, maar ze werd afgeleid door een huzaar te paard die op luide toon aan Van Oosthuyse vroeg of het span paarden van hem was. Die schudde zijn hoofd en zei, naar Hannis wijzend: 'Van Klaas Lagerweij.'

'Jij bent Klaas Lagerweij?' wilde de huzaar weten.

'Ik ben Hannis,' zei Hannis. 'Zijn zoon.'

'Mag ik vragen wat je hier aan het doen bent?'

Voor Hannis antwoord kon geven, zei Petrus Jodocus van Oosthuyse: 'Hij werkt voor mij.' En tegen Hannis: 'Bedankt voor het brengen van het hout. Als je opschiet, kun je makkelijk nog een vracht komen brengen. Hier heb je een extraatje voor de moeite.'

Het viel Geertje op hoe begerig de jongen naar het muntje keek dat de handelaar hem voorhield.

'Daar moet ik een stokje voor steken,' sprak de huzaar. 'Alle Woudenbergse boeren zijn verplicht gesteld om dagelijks voor twaalf span paarden en wagens te zorgen. Tot op dit uur van de dag is er aan dit bevel geen gehoor gegeven. Daarom vorder ik beide dieren en het voertuig.'

'En ik dan?' vroeg Hannis.

'Jij ook,' zei de huzaar. 'Hier heb je een bewijs voor ontvangst. Op vertoon ontvang je op het kantoor van divisiegeneraal Dumonceau vijf Hollandse guldens. Zo zijn de regels.'

'Dat meen je niet!' riep Van Oosthuyse.

'Boontje komt om zijn loontje!' riep Geertjes vader.

Van Oosthuyse deed of hij niets had gehoord en zei tegen Hannis: 'Ik betaal je een tientje per dag.'

Hannis keek naar de huzaar te paard.

'In Zeist ligt een schip met brood,' zei de soldaat. 'Ik wil dat je dat brood nu onmiddellijk gaat halen.'

'Zo zijn de regels, zo zijn de regels,' papegaaide Friedrich.

Hannis vertrok. Geertje keek hem na. Het schlemielige hondje dat naast hem op de bok zat, kefte woedend naar de huzaar te paard alsof het aanvoelde dat hij de boosdoener was.

Geertje kreeg het voor het eerst druk achter de kraam. Kennelijk hadden de soldaten hun soldij gekregen, want steeds kwamen er jongens en mannen snuffelen tussen de snuisterijen. Een van hen kocht een spiegeltje en een kam. 'Zou jij ook wel eens mogen gebruiken, wijfie,' zei hij tegen Geertje. Toen hij weg was, kon Geertje het niet laten een stiekeme blik in een spiegel te werpen. Ze keek in het vuile gezicht van een meisje met piekerig rood haar. De soldaat had gelijk. Ze mocht zich wel eens wassen. Ze mocht wel eens iets aan haar haar doen. Zo werd ze nooit gelijk aan een jongen als François.

De broodoorlog

Die nacht sliep Geertje voor straf onder de kar. 'Wegens verre-
gaande brutaliteiten', zoals Friedrich het noemde, was ze uit
de tent verbannen. Het kon Geertje weinig schelen. Het was
droog en de nachten waren warm. De honden hielden haar
gezelschap.

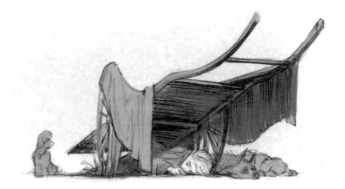

Toen het licht werd, stond ze op zonder geluid te maken. Zo
kon ze ongemerkt ontsnappen aan de aandacht van haar
pleegouders. Helaas begon Thor wild te blaffen. Ze kon het
hem niet kwalijk nemen. Honger!

'Ben jij dat?' klonk het vanuit de tent.

Tegen beter weten in deed ze of ze niets had gehoord. Maar
de eisende stem van vader Friedrich hield haar in de greep
als een hand die een pols omklemde. 'Ga brood halen! Ik sterf
van de honger.' Door een spleet in het tentdoek wierp hij
haar een paar centen voor de voeten.

Ze ging op zoek naar brood. Ze dacht het bij buurman
Petrus Jodocus te vinden. Maar die verwees haar naar de sol-

datenkeukens. 'Probeer daar maar iets te vinden. Die Marmont denkt alleen maar aan zichzelf. Het soldatenvolk gaat voor. Misschien mag je hun kruimels opvegen.'

Teleurgesteld liep Geertje in de richting van het tentenkamp. Het was dat haar lege maag zo'n pijn deed, anders was ze het liefst als een lappenpop in een hoekje gaan liggen. De lange rij met soldatententen danste voor haar ogen. Tussen de tenten zag ze een reusachtige broodberg. Jammer dat zulke bergen in het echt niet bestonden. Hoewel... Ze bleef staan om nog eens goed te kunnen kijken. Nog steeds was er die wonderlijke berg van opgestapelde broden. Zo snel ze kon ging ze op haar doel af. Van zo'n overvloed kon vast wel iets worden gemist. Ze zette haar vrolijkste gezicht op. Met haar vingers kamde ze door haar haar – stom, ze had zich zo voorgenomen om zich op te knappen.

'Wat moet je?'

Zie je wel, de begroeting was niet bepaald vriendelijk.

'Zou ik misschien...? Ik zou graag...'

'Neem maar mee, hoor.'

Verbaasd keek Geertje van de bezwete kok naar de broden die voor het grijpen lagen.

Ze hield haar hand op met het geld.

'Laat maar, voor beschimmeld brood hoef je niet te betalen. Nat geworden. Afgekeurd. Wachten op vers brood. Hier...' Twee gestrekte handen hielden haar twee broden voor.

'Dank u wel, meneer,' zei ze beleefd. Pas toen ze de gift aannam, zag ze de blauwe plekken. Alsof de broden met elkaar hadden gevochten.

Onderweg probeerde ze met een punt van haar jakje het blauw weg te poetsen. Maar de plekken zaten al te diep. Kon ze hier wel mee thuiskomen? Friedrich zou woedend op haar worden. Ze moest hem afleiden. 'Het slechte nieuws is dat het brood beschimmeld is. Het goede nieuws is dat de soldaten zitten te springen om vers brood. Daar zit toch handel in?

Er moet toch wel ergens een bakker in de buurt zijn die vers brood kan leveren?'

Ze oefende haar toespraakje net zolang tot ze voor de tent oog in oog stond met de ongeschoren kop van haar onechte vader. 'Papa,' zei ze, terwijl ze de broden achter haar rug hield. 'Het slechte nieuws is...'

Hij trapte erin. Geertje moest Thor inspannen. Friedrich vertrok met de hondenkar naar Zeist. In spanning wachtte ze op zijn terugkomst. Maar het werd een middag zonder brood. Pas aan het eind van de dag drong het tot haar door dat het lawaai dat ze al een poosje hoorde, wel eens iets met haar vader te maken kon hebben. Als een speer ging ze op het geschreeuw af. Ze vond Friedrich voor de tent van Dumonceau. Met zijn oorverdovende stemgeluid probeerde hij de wachten voor de tent te overtuigen van zijn gelijk. Maar welk gelijk?

Geertje overzag het tafereel. Voor de wachtpost schreeuwde niet alleen Friedrich Schmidt om aandacht met zijn hondenkar vol brood, maar ook Petrus Jodocus van Oosthuyse. Vanaf de bok van een reusachtige huifkar mengde hij zich voortdurend in het gesprek. Middelpunt van de discussie was het brood. Dat was duidelijk.

Voor de tent van divisiegeneraal Dumonceau werd druk vergaderd. Dat gesprek werd in het Frans gevoerd, een taal die Geertje als muziek in de oren klonk. De Fransen konden zelfs van een scheldpartij een vrolijk liedje maken. Zou het land ooit zo Frans worden dat alle Hollanders Frans gingen spreken? Ze kon het zich niet voorstellen.

Toen zag ze François. Hij zat wat afzijdig aan zijn eigen tafel. Zonder op of om te kijken zat hij voorovergebogen te schrijven. Later zou ze hem vragen haar voor te lezen wat hij over de broodruzie had geschreven. Hij wist er vast het fijne van.

Aan het gesprek aan de vergadertafel leek een einde te

komen. Een man met een krullenkop zette zijn steek op en beende weg. Vier bewapende soldaten vertrokken in zijn kielzog. De vader van François deed een paar stappen in de richting van de ruziënde mannen. Toen het stil werd, zei hij: 'U hebt het gehoord. Wij blijven bij het standpunt dat het geleverde brood niet aan onze eisen voldoet. Het Franse leger eet alleen witbrood. Het zwarte brood waarmee u beiden komt aanzetten, is naar hun mening oneetbaar.'

'Oneetbaar, oneetbaar,' begon Friedrich te mopperen. 'Zijn ze helemaal van de pot gerukt, die verwende Fransen?'

'Mag ik aanvoeren dat bruinbrood veel en veel gezonder is dan jullie witbrood?' zei Van Oosthuyse.

Dumonceau schudde zijn hoofd en begon zich om te draaien. Het gesprek liep op een eind.

'En wat moet ik dan met mijn brood?' schreeuwde Friedrich hem na.

'Jullie Hollanders zijn toch zo gek op dat gezonde bruine brood? Verkoop dat maar op je eigen markt. En nu wegwezen!'

Friedrich gaf de hond een schop zodat de kar in beweging kwam. Geertje dook weg achter een houten schutting. Ongetwijfeld zou ze de schuld krijgen van alle ellende. Ongezien schoof ze op naar de plek waar François zat te schrijven.

'Pssst,' deed ze om zijn aandacht te trekken. Zonder naar haar om te kijken, stond hij op en liep naar zijn vader die nog steeds in gesprek was met Van Oosthuyse. Hij kwam terug met een brood in zijn handen. Met zijn mes sneed hij er een stuk van af en stopte het in zijn mond. Dat verbaasde Geertje. Ze kon het dan ook niet laten om naar hem te roepen: 'Lekker, hè, bruinbrood?'

De jongen keek op en glimlachte naar haar. Uit wat hij met volle mond antwoordde, maakte Geertje op dat hij iets zei als: 'Wij Brusselaars zijn niet vies van een bruine boterham op zijn tijd.'

'Je hebt gelijk,' zei ze. 'Die Fransen zijn maar verwende ventjes.' Ze had eraan toe willen voegen: 'Gelukkig ben jij niet zo.' Maar die woorden slikte ze in.

'Best wel jammer van dat brood,' zei François. 'Gelukkig gaat die Van Oosthuyse witbrood leveren aan het hele Franse leger.'

'Hij?' Geertje wees naar de koopman.

François knikte. 'Stukje brood?'

'Graag.'

Hij gaf haar de helft van het brood. 'Ik hoor net dat die koopman mijn vader heeft beloofd om elke dag duizend broden te komen brengen.'

'Onmogelijk,' liet Geertje zich ontvallen.

'Toch wel,' zei François. 'De slimmerik heeft bij Griethuizen een herberg gekocht waar nu broodovens worden gebouwd. Over een paar dagen zijn die ovens klaar en wordt er begonnen met het bakken van brood.'

'Onmogelijk,' zei Geertje weer. Hoewel ze moest toegeven dat in deze wonderlijke wereld van het achttienduizendkoppige leger niets echt onmogelijk leek. Heel even had ze medelijden met Friedrich Schmidt die voor de zoveelste keer werd afgetroefd door Petrus Jodocus van Oosthuyse.

Geertje pulkte het zachte brood uit de korst en stak het in haar mond. Ze keek naar de schrijvende jongen. Plotseling viel het haar op dat het helemaal niet zijn dagboek was waarin hij schreef. Hij schreef op een rol. Op die rol schreef hij iets over van losse vellen.

Er zat niets anders op dan er rechtstreeks naar te vragen: 'Wat ben je eigenlijk aan het doen?'

Zonder op te kijken, antwoordde François. 'Dat zie je toch?'

'Ik zie dat je iets overschrijft. Doe niet zo geheimzinnig.'

'Het is geheim.'

'Baarlijke nonsens,' flapte ze eruit. Dat was niet slim. 'Leuk, zeg,' zei ze snel, 'vind je geheimen ook altijd zo interessant?' Dat was een betere toon.

Nu keek de jongen naar haar op. 'Het is een namenlijst van alle soldaten die meedoen.'

'Waaraan?'

Ze zag dat de jongen aarzelde. Hij zocht naar woorden, boog zich voorover en schreef weer een paar namen op de rol. Toen zei hij: 'Hoor je dat schieten?'

Geertje hoorde het.

'Alle infanteristen zijn aan het oefenen voor de grote manoeuvres op zondag.'

'Morgen?'

'Ja, morgen vindt er een grote oefening plaats.'

'Leuk,' zei Geertje, hoewel ze niet begreep waarom er moest worden geoefend voor een oefening.

'Kom je kijken?'

'Tuurlijk,' zei Geertje. 'Als je me je geheim vertelt.'

François bloosde. Geertje glimlachte. Ze had raak geschoten. Hij probeerde haar iets op de mouw te spelden. Maar wat ze niet had durven dromen was dat de jongen zou opstaan van zijn stoel, naar het hek zou lopen en haar toe zou fluisteren: 'Nou, goed, kun je een geheim bewaren? Er wordt een piramide gebouwd. Hier, midden op de hei. Maar dat mag nog helemaal niemand weten.'

Ze kneep haar ogen tot spleetjes en keek de jongen ongelovig aan. 'En die rol dan?'

'Die rol wordt in het hart van de piramide begraven. Alle namen van alle soldaten die hebben meegebouwd aan die piramide komen erop te staan.'

Nu wist Geertje zeker dat de jongen een fantast was. 'Alle achttienduizend?' vroeg ze.

Hij knikte. 'Alle achttienduizend. We schrijven in toerbeurt, ik zou het natuurlijk nooit in mijn eentje kunnen doen. Beloof me dat je je mond houdt.'

'Beloofd,' zei Geertje. Achter haar rug kruiste ze haar vingers. De broodkorst viel op de grond. Wat gaf het? Vader Schmidt had brood genoeg.

Manoeuvres in het vuur

'Maar het moet!' Geertje stampte woedend met haar voet op de grond. Ze wilde naar het soldatenfeest. Gewoon om er rond te kijken. Zonder hondenshow. Maar Friedrich had andere plannen.

'Er is maar één ding dat jij moet,' zei hij met een onbewogen gezicht. 'En dat is gehoorzamen.'

Geertje zocht de blik van Maria. Maar die deed of ze druk was met het oppoetsen van spiegeltjes en tabaksdozen.

'En kleed je een beetje behoorlijk,' commandeerde Friedrich.

'Ik heb niks.'

'Je hebt toch die jurk met die strikken? En doe wat aan je haar!'

Geertje wierp haar vader een vuile blik toe. In de tent trok ze de mooie jurk aan met de lelijke scheur. Ze kamde haar rode haar. Maar ze weigerde het te vlechten.

'Zal ik die scheur niet even herstellen?' vroeg Maria.

'Ze moet aan het werk,' zei Friedrich. 'Kijk eens hoeveel volk er al op de been is?'

Friedrich had gelijk. Van alle kanten kwamen koetsjes aangereden. Geertje keek haar ogen uit. Wat kwamen al die mensen doen? Hele families verspreidden zich over de markt. De op hun paasbest geklede mensen wandelden langs de kraampjes. De kinderen mochten snoepgoed kopen. De ouders gingen op de stoeltjes zitten die buurman Petrus Jodocus had klaargezet. Ze werden voorzien van spuitwater en alcoholische dranken.

'Hoe vind je mijn terras?' vroeg Van Oosthuyse toen hij zag dat ze hem aangaapte.

Ze haalde schaapachtig haar schouders op.

'Echt Frans,' zei hij lachend.

'Echt?' Die man had werkelijk een neus voor geld.

'Kom op, aan het werk,' maande Friedrich haar.

Ze riep de honden. Ze deed Marie-Antoinette het geblokte
rokje aan en bond een strik om de hondenkop. De poedel
wilde niets liever dan haar kunsten vertonen.

Geertje verzamelde haar moed. Hoewel de honden precies
wisten wat ze moesten doen, vond zij het nog altijd lastig
om een geschikt moment te vinden om te beginnen. Ze keek
naar het rondwandelende publiek. Niemand schonk aandacht aan een roodharig meisje in een bloemenjurk en haar
drie honden. Geertje voelde de aderen in haar hals kloppen.
Ze stak het fluitje tussen haar tanden en blies er zacht op.
Meteen begon Thor hard te blaffen. Vos nam een aanloopje
en belandde luid keffend boven op de rug van de ruige her-
dershond. Marie-Antoinette rende in achtjes onder Thors
buik door. Toen Geertje zag dat er voldoende mensen bleven
staan om te kijken, demonstreerde ze de rekenkunsten van
Vos.

'Hoeveel is twee plus één?'

'Waf, waf, waf,' kefte Vos.

'Hoeveel is negen gedeeld door drie?'

'Waf, waf, waf!' kefte Vos.

'En hoeveel is 82 min 79?'

'Waf, waf, waf!' kefte Vos.

Ze gaf Vos een aai over zijn snuit en zette hem naast Marie-Antoinette op de grond. Snel door met de volgende truc, voor iemand de kans kreeg sommen op te geven met een andere uitkomst dan drie. Geertje begon te lopen. Een klein fluitsignaaltje was genoeg om Vos en Marie-Antoinette tussen haar voortstappende benen te laten zigzaggen. Hier en daar werd geklapt. Geertje ging op haar hurken zitten, vormde haar armen tot een boog waardoor de poedel vrolijk heen en weer sprong. Nog meer applaus. Het was tijd voor de slotact. Ze bond een touw om Thors nek. Het andere uiteinde stopte ze in de bek van Marie-Antoinette. Op het moment dat de poedel zich op de achterpoten richtte, riep iemand: 'Kom, snel, het gaat beginnen!'

Voor Geertje Thor het bakje tussen zijn tanden kon stoppen om het geld op te halen, waren alle toeschouwers verdwenen.

Friedrich kwam woedend achter de kraam vandaan. Marie-Antoinette die nog steeds op haar achterpoten liep, kreeg een schop. 'Wat ben je toch een ongelofelijk dom wicht!' schreeuwde Friedrich. 'Kijk nou eens wat je doet. Al je publiek loopt weg.'

'Wat kan ik eraan doen?' zei Geertje fel. 'Ze komen voor de manoeuvres, niet voor mij!'

'Ga er dan achteraan. Ze gaan zich daar vast verschrikkelijk vervelen. Zorg dat je geld verdient.'

Geertje maakte zich uit de voeten voor Friedrich van gedachten kon veranderen. Met de drie honden aan haar zij liep ze met de mensenmassa mee naar de Leusderhei waar de nepgevechten zouden plaatsvinden. Na een afmattende wandeling van een half uur door het mulle zand, stuitte ze op een muur van mensen. Met moeite wurmde ze zich naar voren. Alles wat ze te zien kreeg waren de achterkanten van een stel hoogwaardigheidsbekleders. Ze zaten comfortabel op een tribune onder rode baldakijns. De opgetutte dames hadden waaiers en kijkers in hun gehandschoende handen.

Vos kroop onder de planken door naar voren.

'Vos,' siste ze. 'Hier!'

De hond dook in elkaar, kop op de poten.

'Vos!'

Het beest dacht er niet aan om terug te komen. Eigenlijk kon Geertje hem geen ongelijk geven want vanaf de plek waar hij lag, had hij een prima uitzicht op het oefenterrein. Ze liet zich op handen en knieën zakken en kroop net als de hond naar voren. Onderweg vergaapte ze zich aan de schoenen boven haar hoofd. Zulke mooie schoenen had ze in haar hele leven niet gezien.

'Hé!'

Ze was betrapt. Wat nu?

'Gek kind. Wat doe je daar?'

Ze kromp in elkaar. Het was nog veel erger. Het was François die haar had ontdekt.

'Kom hier!' Een uitgestoken hand.

Ze dacht er niet aan die te grijpen. Wat voor straf stond er op het heimelijk besluipen van hotemetoten? 'Laat me! Ik heb toch niks gedaan?'

'Vanaf hier kun je het allemaal veel beter zien.'

Wat haalde die rare jongen zich in het hoofd? Dat zij, een meisje uit de achterbuurten van Rotterdam, in haar gescheurde bloemetjesjurk tussen de rijke stinkerds op een podium kon gaan zitten? Het moest niet nog gekker worden. Maar goed, als hij zo nodig wilde laten zien dat iedereen gelijk was, dan moest het maar. Als het erop aankwam, hoefde ze zich natuurlijk nergens voor te schamen. Kon zij het helpen dat ze was wie ze was; een weesmeisje met een hondenshow? Ze keek omhoog en legde haar hand tegen de hand van de jongen. Hij was warm en nat. Voor ze het wist zat ze naast François op de houten bank.

De vrouw aan haar andere kant zette grote ogen op: 'Wat krijgen we nu?'

'Maman,' zei François op zijn Frans. 'Dit is Geertje Schmidt. Ze is een beroemde actrice. Ze heeft een eigen show.'

'Met die smerige honden zeker?' Er klonk walging in de stem van de vrouw die ongetwijfeld François' stiefmoeder was.

'Thor, af!' riep Geertje die tot haar schrik een grote hondenneus de deftige damesschoenen zag besnuffelen.

'Laat mij maar,' zei François. Hij gooide een paar koekjes naar beneden die Geertje met graagte in haar eigen mond had willen stoppen. Maar voor mensen was bedelen vast niet beleefd.

'Kijk, daar is mijn vader.' François wees naar een groep ruiters die een grote legermacht aanvoerde.

Geertje zag rijen soldaten die schouder aan schouder de hei opmarcheerden. Toen ze zich hadden opgesteld, reden de ruiters stapvoets langs.

'Dit is de inspectie,' legde François uit. 'Wie er nu niet piekfijn uitziet, krijgt op zijn falie. Generaal Marmont kan heel streng zijn.'

Geertje keek geboeid naar het wonderlijke toneelstuk dat zich voor haar ogen afspeelde. De ruiters gaven signalen die door blazoenblazers werden overgenomen. Het getoeter had grote gevolgen want de soldaten zetten het op een lopen. Ze renden, ze knielden, ze laadden hun geweren en ze schoten.

'Toch niet echt?' vroeg Geertje toen de kruitdampen waren opgetrokken.

'Losse flodders,' antwoordde François lachend. 'Het zijn

manoeuvres in het vuur. Kijk, de artillerie, het voetvolk, stelt zich op in slagorde: drie rijen soldaten achter elkaar. De voorste rij laat zich plat op de grond vallen. De rij daarachter knielt neer. De soldaten op de achterste rij blijven staan. De eerste rij begint met vuren. Dan de tweede en derde rij. Zo ontstaat er een doorlopende kogelregen. Luister! Hoor je die trompet? Nu draaien ze zich allemaal om. De bataljons met een even nummer formeren nu een nieuwe aanvalsgroep. De anderen nemen de tijd om hun geweren te herladen. Snap je?'

Geertje snapte er niets van. En misschien wilde ze het ook helemaal niet snappen. Waar was dit gedoe goed voor?

'Kijk, nu vormen de drie divisies één gesloten front. En nu worden de kanonnen door de linies heen naar voren geduwd.'

Geertje hield haar handen voor haar oren. Harde knallen rolden over de hei. Het publiek applaudisseerde. Vanonder de banken klonk het zachte janken van Marie-Antoinette.

Weer klonken de trompetten. Tot verbazing van iedereen marcheerde het voetvolk achterwaarts. Vlak voor de toeschouwers hielden ze halt. Daar deelden ze zich op in nieuwe formaties en marcheerden in vier verschillende richtingen de heide op. Geertje haalde opgelucht adem. Ze tilde de keffende poedel omhoog tussen de planken van de tribune en nam haar op schoot. 'Stil maar,' zei ze. 'Het is klaar.'

'Nee joh,' zei François enthousiast. 'Er komt nog veel meer.' Of Geertje wilde of niet, ze moest naar zijn deskundige commentaar luisteren. 'Zie je dat? De zes bataljons formeren zich nu in vierkanten. Ongelofelijk toch? Als er geen mensen waren als mijn vader, zou zo'n leger een grote chaos zijn. Door dag in dag uit te oefenen, door tucht en discipline, lukt het om dat hele leger van meer dan tienduizend mannen als één man te laten functioneren. Het zijn geen individuën meer. Het is één grote machine geworden die precies doet wat de bevelhebbers willen.'

Geertje probeerde zich voor te stellen wat dat was, wat de bevelhebbers wilden. Ze had geen idee. Dit was het spel van mannen onder elkaar. Vrouwen mochten toekijken en frivole gilletjes laten horen om van hun aanwezigheid blijk te geven.

Na urenlang gemarcheer en geknal leek er eindelijk een eind te komen aan de opvoering. De twee Franse divisies en de Bataafse divisie marcheerden voorbij en namen het applaus van de toeschouwers in ontvangst.

'Nu het vuurwerk,' zei François.

Geertje legde opnieuw haar handen tegen haar oren. Maar toen de vuurpijlen met luide knallen uiteenspatten, deed ze mee met de *Ooooooh's* en *Aaaaah's* van de mensen om haar heen.

Toen de laatste pijl was afgeschoten, bedacht Geertje tot haar schrik dat ze niet zonder geld bij haar ouders kon aankomen.

'Wat is er?' vroeg François. 'Vond je het niet mooi?'

'Heel mooi,' zei Geertje. 'Maar ik was helemaal vergeten dat ik vandaag geld moest verdienen met de honden.'

'Ik begrijp het,' zei François. Hij roerde wat met zijn hand in de zak van zijn soldatenbroek. 'Hier.' Hij legde een munt in Geertjes uitgestoken hand. Ze keek ernaar. Op de gouden munt stond de afbeelding van een man met een tamelijk dik hoofd.

 'Napoleon Bonaparte,' zei François. 'Dat is nou de man voor wie we het allemaal doen.'

'De koning van Frankrijk?' Geertje had er onmiddellijk spijt van dat ze zo'n onnozele vraag stelde.

'Frankrijk is een republiek. Een republiek heeft geen koning, maar een regering. Napoleon is de Eerste Consul van de Republiek Frankrijk. Hij voert het leger aan.'

Geertje stopte de munt in haar afgetrapte rechterschoen. Ze keek wel uit om zo'n mooie munt af te staan aan die akelige kerel die toch haar vader niet was.

Plotseling kwam het vriendelijke gezicht van François zo dicht bij het hare dat het zweet haar uitbrak. Ze keek naar de charmante kriebelhaartjes op zijn kin, naar de kuiltjes in zijn wangen. Hij rook naar... naar lelietjes-van-dalen. Ze moest zichzelf bedwingen om niet met haar handen door zijn krullerige haar te kroelen zoals ze soms bij Thor deed.

'Wat sta je nu te dromen? Je luistert toch wel? Ik vroeg of je een geheim kan bewaren.'

Een geheim? Nog een geheim? 'Wat dan, François?' Ze fluisterde zijn naam. Het was gek, maar dit was de allereerste keer dat ze hem bij zijn naam noemde.

'Luister goed. Nu is Napoleon nog Eerste Consul. Dat is natuurlijk het hoogste wat je in een republiek kunt bereiken. Maar volgens mijn vader wil Napoleon meer. Nu komt het...' François keek haar doordringend aan. Alsof hij er zeker van wilde zijn dat ze met al haar aandacht naar hem luisterde. 'Volgens mijn vader, en die heeft het weer gehoord van Marmont, laat Napoleon zich binnenkort tot keizer kronen. Begrijp je? Een keizer staat nog weer een treetje hoger dan een koning. Je kunt rustig zeggen dat Napoleon Bonaparte dan de machtigste man op de hele wereld is...'

Even dacht Geertje eraan om te vragen waarom dat zo verschrikkelijk belangrijk was. Ze had willen weten wat het wezenlijke verschil is tussen een prins van Oranje die wordt afgezet omdat hij te veel de baas speelt en een keizer die de machtigste man van de wereld wil zijn. Zorgt de een beter voor zijn volk dan de ander? Maar ze wilde geen domme vragen stellen.

'François, waar blijf je nou!' De naar de laatste mode geklede Franse stiefmoeder maakte een eind aan hun samenzijn.

De Krakeling

'Sakkerloot!'
   Geertje deed of ze niets hoorde.
   'Walgelijk! Om te kotsen, zo smerig!'

Vanuit haar ooghoeken keek Geertje naar haar vader. Hij stond met zijn gezicht boven een pan. Vol walging keek hij naar iets wat zich daar, op de bodem van die pan, afspeelde.

Het moest verschrikkelijk stinken, want hij kneep zijn neus erbij dicht.

'Geertje!'

Hoe nieuwsgierig ze ook was, ze hield zich schuil achter de wagen.

'Waar is die griet?'

Moeder Maria kwam op het lawaai af. Met gebogen hoofd, als een hond die bang is klappen te krijgen. Ze was net zo bang voor Friedrichs woedeaanvallen als Geertje.

'Haal die meid!'

Het was onontkoombaar. Er was iets gebeurd. En Geertje ging er de schuld van krijgen.

Buurman Petrus Jodocus redde haar. Geïnteresseerd gluurde hij over Friedrichs schouder mee en zei: 'Ja, ouwe mopperkont, dat bedorven vlees wandelt onder je ogen de pan uit. Maar wat ik je vragen wilde, kun je die onuitstaanbare dochter van je niet een uurtje missen?'

Geertje spitste haar oren. Friedrich gebaarde iets met zijn vingers. Van Oosthuyse reageerde met: 'Hoeveel?'

Nog meer gebaren. Geertje begreep dat er over haar prijs werd onderhandeld. Friedrich kreeg kennelijk zijn zin, want Maria kwam naar Geertje toe lopen en zei: 'Je moet helpen.'

'Wat moet ik dan doen?' Geertje dacht aan poetsen, boenen, rennen, vliegen.

'Hij wil dat je naar Woudenberg loopt om iemand te halen.'

Geertje stapte het volle zonlicht in.

'Schiet eens op!' riep Friedrich. 'Waar zijn je goede manieren?'

Hij had een goede prijs voor haar weten te bedingen.

'Het gaat om die Hannis, Hannis Lagerweij. Laat hem komen met een tweespan. Of, laat hem liever meteen naar De Krakeling rijden. Hij weet wel waar dat is. Zeg maar tegen zijn vader dat ik hem het dubbele tarief betaal. Hij woont in een boerenhoeve aan de Zeisterweg. Dat kun je toch wel vinden? O ja, en zeg maar tegen de jongen dat er voor hemzelf ook nog wel iets te verdienen valt.'

'Natuurlijk kan ze dat,' zei Friedrich.

Geertje kon haar geluk niet op. Ze mocht weg uit het kamp en ze kreeg de zegen van haar vader mee.

Het was een flinke wandeling naar de plek waar Hannis woonde. Ze nam alleen Vos mee. Af en toe, als de hond al te nieuwsgierig zijn neus in soldatententen stak, moest ze hem terugfluiten.

Ze vond de boerenzoon op het land naast een kar vol hooi. Hij deed of het heel gewoon was dat ze het hele eind naar Woudenberg was komen lopen.

'Er is slecht weer op komst,' zei Hannis.

Geertje keek naar de witte vegen in de lucht die daar door een onzichtbare schilder met een onzichtbare kwast in werden gesmeerd. 'Petrus Jodocus heeft je nodig,' zei ze. 'Met een tweespan. Hij betaalt de dubbele prijs.'

'Wat heb ik daaraan? Al het geld gaat naar mijn vader. Ik krijg nooit wat.'

'Van Oosthuyse zei dat er voor jou ook wat te verdienen was.'

Dat veranderde de zaak, want Hannis wees naar de kar en zei: 'Klim er maar op.'

Geertje zette haar linkervoet op een wielspaak en hees zich omhoog. Het bibberige hondje met de bult op zijn rug begroette haar met een lik over haar hand. Ze aaide het rare beestje over de kop, maar het bleef bibberen alsof hij het koud had.

Met moeite trokken de paarden de kar los uit het drassige land. Eenmaal op de zandweg klom Hannis naast haar op de bok. Vos keek Geertje smekend aan. 'Kom maar!' riep ze. Maar het bibberhondje kefte zo hard dat Vos het wel uit zijn hoofd liet om Geertjes veilige schoot op te zoeken.

'Knakker houdt niet zo van andere honden,' zei Hannis. 'Hij ziet er misschien een beetje sneu uit, maar het is echt een superhond. Hij kan alles.'

'Wat heeft hij?' vroeg Geertje.

'Niets. Hij bibbert gewoon een beetje. Drrrrr-a-a-afff!'

Met een schok schoot de kar vooruit. Jankend schoot Vos een greppel in. Kennelijk had hij een tik opgelopen van een paardenhoef.

Het was druk op de weg. Ruiters, voetvolk, koetsjes en allerlei soorten wagens, volgeladen met alles wat een leger nodig heeft om op de been te blijven. En ook karren vol kruiwagens, karren vol scheppen, karren vol juten zakken.

'Raar,' zei Hannis.

'Ze gaan een piramide bouwen,' legde Geertje uit. 'Midden op de hei.'

'Wat een flauwekul.'

Geertje bedwong zichzelf om niet het hele verhaal te vertellen, inclusief de bewijzen die ze met eigen ogen had gezien: de rol van perkament met daarop de eindeloze soldatennamenlijst.

Hannis floot een deuntje dat Geertje bekend voorkwam. Ze begon het zacht mee te neuriën. Na een poosje herinnerde ze zich de woorden. Hardop zong ze:

Hop Marjanneke, stroop in het kanneke
laat de poppetjes dansen
eertijds was de Pruis in het land
en nu die kale Fransen

'Rare Fransen...' zong Hannis mee. Nu viel het Geertje pas op dat hij de baard in de keel had. Plotseling draaide Hannis zijn hoofd opzij, keek haar aan en vroeg: 'Heb je soms een oogje op die rare fransoos? Dat is zeker omdat hij geld heeft?'

'Ik?' Ze wist meteen wie hij bedoelde. 'Hoe kom je daar nou bij?'

'Je loopt met hem te flikflooien. Je moet die lui niet vertrouwen.'

'François is niet eens een Fransman. Hij komt uit Brussel.' Nu had ze zich verraden en laten merken dat ze wist over wie Hannis het had.

'Maakt niks uit. Die lui hebben hier niets te zoeken.'

'Ze zijn niet uit zichzelf gekomen,' wierp Geertje tegen. Ze had goed naar François geluisterd. 'Volgens François zijn ze gehaald. En daar hadden de patriotten goede redenen voor. De prins en consorten hadden er een zootje van gemaakt.'

'En daarom kwam de Pruis in het land,' zei Hannis.

Alle jongens waren hetzelfde. Ze wilden allemaal laten zien dat ze de wereld kenden. Alsof meisjes die dingen niet net zo goed wisten. Nou ja, vooral de weesmeisjes die het geluk hadden gehad in een betrekkelijk goed weeshuis op te mogen groeien, een weeshuis met een school.

'Je kunt het de vrouw van de prins niet verwijten dat ze haar familie te hulp riep toen ze een keer werd overvallen door een stelletje geboefte bij Goejanverwellesluis. Ze heet niet voor niets Wilhelmina van Pruisen.' Zo, die zat, daar had Hannis niet van terug.

Maar Hannis lachte haar uit. 'Dus je had liever onder de plak gezeten bij de Duitsers?'

'Weet ik veel,' liet Geertje zich ontvallen. 'De Fransen prediken vrijheid en blijheid. Maar wat doen ze hier dan?'

'Zie je wel!' riep Hannis uit. 'We zijn het met elkaar eens! Ooit hoepelen die rare Fransen weer op. Dan zijn we weer gezellig onder elkaar.'

Geertje dacht aan François. Als het Franse leger zich terugtrok, was ze hem kwijt. 'Ach, zo vervelend zijn die Fransen nu ook weer niet,' zei ze.

'Of bedoel je soms die ene fransoos, die uit Brussel?'

Ze ging er niet op in. 'Vos, kijk toch uit!' riep ze naar het naast hen voorthollende hondje. Weer ontkwam hij ternauwernood aan de hoeven van een paard. Ze keek de ruiters na. Die ene, was dat niet François? Eigenlijk leken al die Franse jongens op elkaar. Donker haar, mooie ogen, goede manieren.

De ruiters hielden in. Een van hen sprak haar aan. Ze verstond genoeg van zijn Frans om te begrijpen dat hij wilde dat ze bij hem achterop sprong.

'Oprotten!' riep Hannis. 'Ze hoort bij mij.'

De ruiters vervolgden lachend hun weg. Ze werden achtervolgd door een luid blaffende Vos.

'Hij zal me tot de laatste man verdedigen,' zei Geertje op haar hondje wijzend. Het zat haar niet helemaal lekker dat Hannis zich opwierp als haar beschermheer.

Hannis trok de teugels strak. Hij reed het erf op van een uitspanning die getuige het uithangbord niet anders kon heten dan: De Krakeling. Aan de voorkant was het een komen en gaan van reizigers, dagjesmensen en militairen die vrijaf waren. Aan de achterkant was het een en al bedrijvigheid. Op lange tafels werd deeg gekneed. De in een rij opgestelde stenen ovens braakten rookwolken uit. Er klonk angstig geloei van koeien, of ze in doodsangst verkeerden. Dat was terecht, zag Geertje al snel. De dieren werden een voor een een schuur binnengeleid waar ze snel en doelmatig aan hun eind werden geholpen.

'Fijn dat jullie er zijn.' De alomtegenwoordige Petrus Jodocus van Oosthuyse heette hen persoonlijk welkom. 'Zet de wagen maar naast de schuur. De eerstvolgende lading vlees is voor de Bataafse divisie.'

Geertje keek haar ogen uit. Terwijl haar vader met veel gescheld en getier een handeltje probeerde op te zetten, leidde Van Oosthuyse een heus imperium dat handelde in hout, hooi, brood, vlees en alles wat een mens nodig heeft om op de hei te overleven.

Vos

Hoewel ze er geweldig de pee in had dat ze Marmontville –
zoals hun kleine nederzetting ondertussen genoemd was
– niet mocht verlaten, neuriede Geertje dag in dag uit het
wijsje van *Hup Marjanneke.*

Soms voerde ze haar hondenshow op. Veel geld verdiende
ze er niet mee. Het was wonderlijk stil in het kamp. Het schieten was opgehouden en het fluiten van de vogels was weer
hoorbaar. En zelfs het ruisen van de wind in de schaarse
bomen die er rondom het kamp nog te vinden waren. De paar
klanten die er op het marktplein rondliepen, moesten de
marketenters en zoetelaars met elkaar delen. Geertje en haar
honden moesten het opnemen tegen koorddansers uit Italië,
Parijse zangers en Vlaamse lierspelers. En dan waren er nog
de talloze speel- en koffiehuizen, het theater, de danszaal en
meerdere logementen die voor vertier zorgden.

Voor Vos was het een uitkomst dat hij niet hoefde op te treden. Het hondje scharrelde hinkend rond tussen de kramen
en de tenten. De trap van het paard was harder aangekomen
dan Geertje aanvankelijk had gedacht.

Friedrich deed goede zaken. Hij had een partij scheerzeep op
de kop weten te tikken. Het soldatenvolk had soldij gekregen.

De verstandige helft van de huzaren, dragonders, kapiteins, sergeanten en divisiegeneraals gebruikte het geld om zichzelf te verzorgen. Friedrich spon daar goed garen bij. Alle anderen verbrasten hun geld aan nutteloze dingen als drank en vertier. Daar plukte Geertje de vruchten van. Toch was ze niet altijd blij met de belangstelling die de soldaten voor haar hadden. Waarom keken al die jongens en jongemannen zo naar haar? Waarom keken ze niet gewoon naar de trucs die de honden opvoerden?

'Hé, lieffie, gaan we samen stappen?'

'Bemoei je met je eigen!'

'Nou, nou, schoonheid, je hebt toch wel een kusje over voor een charmante kapitein?'

'Ga weg, griezel!'

Het lukte haar steeds beter om zich de vleiers, de brutalen en de handtastelijken van het lijf te houden.

Plotseling stond hij voor haar, de jonge Brusselaar. En alles wat hij zei was: 'Je moet komen.' Ze keek hem vragend aan. Haar ogen schoten heen en weer van zijn linker- naar zijn rechteroog alsof ze in een van beide het antwoord kon lezen op de vraag: hoe had je gedacht mij hier weg te krijgen?

'Mijn vader wordt gehuldigd.'

Vanuit haar ooghoeken zag Geertje dat Friedrich meeluisterde.

'Hij krijgt een belangrijke onderscheiding.'

Friedrichs belangstelling was gewekt. 'Jij blijft hier,' zei hij tegen Geertje. 'Ik ga kijken.'

François keek haar vragend aan. Toen ze als antwoord haar schouders ophaalde, draaide de jongen zich om. Met een rechte rug marcheerde hij bij haar vandaan. Hij kreeg Friedrich achter zich aan. Krom. Hollend. Vos hinkte mee, zijn rechterachterpoot ontziend.

En Geertje neuriede haar lied.

Moeder Maria viel haar bij. Ze begon te zingen:

Hop Marjanneke, stroop in het kanneke
laat de poppetjes dansen
hij wiegt het kind, hij roert de pap
hij laat zijn hondje dansen

'Wat grappig,' zei Geertje toen het lied uit was. 'Het lijkt wel of het over mij gaat.'

'Marjanneke is Frankrijk,' legde haar moeder uit terwijl ze met haar voet een blok hout in het vuur schoof. 'En de poppetjes, dat zijn de soldaten.'

'Dan begrijp ik het al,' zei Geertje snel. 'Ons land is het hondje dat moet dansen naar de Franse pijpen.'

'Daar zou je best eens gelijk in kunnen hebben. Vind je hem leuk, die François?'

Die vraag overviel Geertje. Het rood steeg via haar hals naar haar wangen.

Voor ze antwoord kon geven, ging haar moeder verder: 'Haal je niets in je hoofd. Alle jongens die hier rondlopen denken maar aan één ding.'

Geertje wilde dat ene niet zijn.

'En omdat ze geen keus hebben, raken ze verliefd op alles wat een rok aanheeft.'

Dat was een verschrikkelijke belediging! Ook al was ze dan een roodharige wees uit een sloppenwijk van een stinkstad, dit hoefde ze niet te pikken! Ze hapte naar adem. 'Alle mensen zijn gelijk,' beet ze haar moeder toe. 'Dat heeft hij zelf gezegd. Niemand hoeft onder te doen voor een ander. Afkomst telt niet meer. Het gaat erom wie je bent. En ik ben...'

'Je bent een onnozel kind, Geertje,' onderbrak Maria haar. 'Natuurlijk mogen wij vrouwen ook onze dromen hebben. Maar uiteindelijk zijn we alleen goed genoeg voor het schrobben van vloeren, eten koken en het baren van kinderen.'

Geertje had gemeen kunnen zijn. Ze had op een onschuldige toon kunnen vragen: 'Hoe bedoel je dat, moeder, het baren van kinderen? Je hebt toch nooit een kind gebaard? Laat je je daarom als voetveeg gebruiken door die bruut met zijn grote mond? Ben je soms bang voor hem? Dat hij je slaat?' Maar toen ze de droeve ogen van Maria zag, slikte ze alles meteen weer in. En plotseling zag ze in dat Maria niet alleen maar een bange vrouw was, maar ook een heldin die maar al te vaak de klappen opving die Friedrich eigenlijk voor haar, voor Geertje, bedoeld had.

Ze zeiden niets meer. Geertje hing de ketel boven het vuur. Ze vulde hem met water. Ze sneed de kool aan flinters en ze roerde in de pan tot haar armen bijna van haar lijf vielen. En dat allemaal om haar moeder te bewijzen dat ze haar liefde verdiende.

Het duurde een tijd voor Friedrich weer op kwam dagen.

'Echt een stelletje gekken bij elkaar,' zei hij met overdreven veel spot in zijn stem. En hij begon luid na te bouwen wat hij kennelijk bij de huldiging had opgevangen: 'Hierbij mag ik u namens onze grote leider Napoleon de versierselen van het Legioen van Eer omhangen.'

Geertje keek om zich heen. 'Waar is Vos?'

Friedrich liet zich niet afleiden. 'Toen die rare Marmont de vader van dat joch het gouden kruis opspelde zag ik de walging in zijn ogen. Die mannen stonden als kemphanen tegenover elkaar. Ze kunnen elkaar niet luchten of zien. En ondertussen maar tegen elkaar slijmen: "Wat bent u toch een geweldige generaal!" "Dank u wel, commandant. Ik sta geheel tot uw dienst."'

'Waar is Vos?'

Geen reactie. 'En weet je wat ik nog meer heb gehoord? Ze gaan morgen beginnen met de bouw van een piramide. Zijn ze nu helemaal gek geworden? Trouwens, dat gaat ze nooit lukken. Dat krijg je zelfs met achttienduizend man niet voor elkaar. Nou ja, mij kan het natuurlijk niets schelen. Als die idioten zich de blaren willen scheppen, moeten ze dat zelf weten. Sterker nog, ik zie daar wel handel in. Zalf, pleisters, verband; waar hard wordt gewerkt, vallen gewonden.'

Toen Friedrich eindelijk was uitgesproken, ging Geertje voor hem staan en riep: 'Waar heb je Vos gelaten?'

Hij deed of hij haar niet begreep. 'Dat misbaksel? Je kent hem toch? Hij steekt overal zijn neus in. Hij komt wel weer opdagen.'

Ze wist dat hij loog. Ze zag het aan zijn gezicht, aan zijn ontwijkende blik. Zonder haar aan te kijken liep hij van haar weg en mompelde: 'Als hij beter had uitgekeken, had dat paard van Marmont hem geen doodschop verkocht.'

'Wat zeg je?' Geertje schreeuwde het uit.

'Dat hoor je toch?' zei Friedrich. Zijn onverschilligheid was onverdraaglijk. Geertje holde hem achterna en hield hem staande. Ze zocht zijn ogen op en zei: 'Ik wil het weten, waar is hij?'

'Dat snap je toch wel? Hij ligt daar ergens, dood. Morsdood. Het moest een keer gebeuren. Je moet maar zo denken: hij is uit zijn lijden verlost, die arme hinkepoot.'

De medaille

Ze zag het al vanuit de verte, vlak voor de tent van Dumonceau lag een koets op zijn zij. De paarden waren uitgespannen en vastgemaakt aan het hek.

Van Vos geen spoor.

Geertje liet haar blik langs de tenten dwalen. Alleen François kon haar helpen. En hij hielp haar, want hij riep haar bij haar naam. Hij stond bij de schrijftafel met een vertwijfelde blik in zijn ogen.

De wacht liet haar onmiddellijk door. François keek van haar weg.

'Mijn hond,' zei ze.

François deed zijn mond open om antwoord te geven, maar op dat moment raakte alles wat gebeurde en alles wat al was gebeurd op een rare manier met elkaar in de knoop. Vanuit de tent klonk gescheld en getier.

Was dat François' vader?

'Mijn onderscheiding? Waar is mijn onderscheiding? Niemand de tent uit! Iemand heeft mijn onderscheiding gejat!'

Ja, het was de generaal zelf die moord en brand schreeuwde.

'Hebt u wel goed gekeken? Ik zag hem net nog liggen naast uw pruik.'

Iemand probeerde de generaal gerust te stellen.

Dumonceau stapte met een kwade kop de tent uit. Met zijn kale hoofd zag hij er heel wat minder indrukwekkend uit. Maar zijn ogen spoten vuur terwijl hij bulderde: 'Het moet een hond geweest zijn.'

'Die hond is dood,' klonk het uit de tent.

'Ik weet het zeker,' hield François' vader vol. 'Ik hoorde ook iemand roepen: "Zoek goud!" Toen moet die hond mijn tent ingeglipt zijn.'

Geertje luisterde verbaasd naar het geruzie over een hond. Haar hond? Plotseling zag ze vanuit haar ooghoeken Hannis het tentenkampje op lopen.

'Daar ben ik weer,' zei hij opgewekt. 'Wat hoor ik? Zoekt u een medaille? Die zit toch in deze koker, samen met de rol en de gouden munt? Ik heb hem net voor u opgehaald bij de smid.'

De divisiegeneraal schudde zijn hoofd. 'Die bedoel ik niet, jongeman. Leg de koker daar maar op de tafel en help ons zoeken.'

Hannis sjokte met het loodzware ding dat hij in zijn handen had naar de schragentafel en liet het naast de schrijfsels van François neerploffen. Voor Geertjes ogen begon de tafel vervaarlijk over te hellen. Een van de schragen begaf het, waardoor het blad omkiepte en alles wat erop lag in het zand viel.

Geertje bukte zich om de spullen op te rapen. Wat was er toch aan de hand? Wat was dat voor gedoe om een medaille die er niet was, maar die er toch bleek te zijn?

'Wat is er nu eigenlijk gebeurd?' hoorde ze Hannis aan François vragen. Er kwam geen antwoord.

Toen Geertje opkeek, zag ze dat François zijn hoofd schudde terwijl hij naar haar wees. Snel stond ze op. 'Je verzwijgt iets,' zei ze. 'Waar is Vos?' Ze volgde de blik van François. Die blik bleef hangen op zijn soldatenjasje dat op de grond lag alsof hij het daar zomaar had neer gesmeten. Toen zag ze pas de hondenpoot die vanonder het kraagje van de jas uitstak. Daar lag hij. 'Vos!' Ze vloog eropaf en rukte het jasje weg. Ze drukte de kop van het beestje tegen zich aan. Geen beweging, geen blaf. De dode ogen herkenden haar niet.

'Vosje!'

'Ze konden hem niet meer ontwijken,' zei François.

'Het is een smerige dief,' riep de wacht hun toe. 'Eigen schuld.'

Geertje keek hem vuil aan. Waar bemoeide die man zich mee? Had hij het over Vos? Had haar hond iets gestolen en was hij er toen mee op de vlucht gegaan?

'Wie zat er eigenlijk in die koets?' vroeg Hannis.

'Mijn moeder,' antwoordde François. 'Het gaat goed met haar. Nou ja, ik bedoel, ze is niet gewond geraakt, alleen maar erg in de war.'

'Ik kom voor de paarden,' riep iemand met luide stem. Waarom schreeuwde iedereen toch voortdurend door elkaar? Zo slaagde Geertje er nooit in om te begrijpen wat er was gebeurd.

'Is die koker nu al klaar? Ja? Dan doe ik hem dicht en neem ik hem mee.' Weer liep er een soldaat het kampje op. 'Marmont staat te wachten. Ze gaan nú beginnen aan de piramide.'

Wat was dat toch een gezeur met die koker? Wat moest

erin zitten? Waarom raapten ze dat ding niet gewoon van de grond en namen hem mee?

De vader van François liep met een rood hoofd zijn tent weer binnen terwijl hij uitriep: 'Zo kan ik me toch niet vertonen?'

De oren van Geertje tuitten. Daar zat ze, met haar dode hond op haar schoot. Haar blik ging van François, die schaapachtig stond te kijken, naar Hannis, die naar de koker stond te wijzen, naar de soldaat die stond te wachten of de koker vanzelf in zijn armen zou vliegen, naar de soldaat die de paarden losmaakte van het hek, naar de tent van de generaal. Kon hij zich niet vertonen zonder zijn gouden medaille? Had Vos die soms te pakken gekregen? Was haar hond er met de versierselen van de divisiegeneraal vandoor gegaan en was hij toen vertrapt door de paardenhoeven van de paarden die de koets met de moeder van François trokken? Het toeval wilde dat Geertje wist waar de medaille was. Ze had iets zien liggen, naast de koker die ze zojuist van de grond had geraapt. Ze moest helpen. Ze moest haar dode vriendje loslaten en de problemen oplossen voor het echt uit de hand liep. Op haar handen kroop ze door het zand in de richting van de tafel. Haar ogen hadden haar niet bedrogen. De glinsterende medaille was half onder het zand verdwenen, maar het oranje lint verraadde waar. Ze trok het ding omhoog en wreef hem schoon. Toen stond ze op en liep de tent van de divisiegeneraal in, naar de tafel met de legerkaarten, de karaf, de wijnglazen en de glimmende verrekijker.

'Wat doe je daar?' Ze keek in het strenge gezicht van François' vader.

'Ik leg uw medaille terug op tafel,' zei ze. 'Hij lag op de grond.'

'Scheer je weg, kind. En neem dat kadaver mee.'

Boos keerde Geertje zich om. Er was nog maar één ding dat telde: ze moest een plek vinden om Vos te begraven.

Zonder nog iemand aan te kijken, liep ze rechtstreeks naar het verstijfde dier. Ze wikkelde hem in de soldatenjas en tilde hem op. Zo liep ze weg, om nooit meer terug te komen.

Achter haar klonk geharrewar. Het ging om de medaille. Vader en zoon Dumonceau waren het duidelijk niet met elkaar eens.

'Dat is hem niet!' riep François.

'Natuurlijk is het hem wel!' riep zijn vader. 'Wat klets je nou?'

'En de koker dan?'

'Die in de koker is gedaan, zit toch gewoon in de koker?'

Geertje begreep er niets van. En eigenlijk kon het haar helemaal niets meer schelen. De mannen zochten het maar uit met hun medaille. Ze ging een rustige plek zoeken voor een hondengraf. Tussen een paar bramenstruiken groef ze met haar handen een gat dat diep genoeg was voor een vosachtig hondje. Ze gaf hem een laatste kus op zijn koude snuit. Toen liet ze hem uit de jas glijden. Ze dekte hem toe met het zachtste zand dat haar handen konden vinden. Toen keerde ze de jas binnenstebuiten en vouwde hem op. Die kon ze later, als de koude dagen kwamen, goed gebruiken.

De piramide

De volgende dag stond Hannis plotseling voor haar neus. Hij liet zijn ogen langs de koopwaar gaan alsof hij werkelijk van plan was iets te kopen. Maar hij kwam voor iets anders.

'Moet je wat, of zit je ook achter mijn dochter aan?' informeerde Friedrich op zijn bekende, tactvolle manier.

Hannis verschoot van kleur. Hij kocht een scheerkwast en zeep hoewel hij dat aan de donshaartjes op zijn bovenlip te zien, nog lang niet nodig had.

Maria riep Friedrich naar achteren. Dat was aardig van haar.

Hannis schraapte zijn keel. 'Ik dacht dat ik je misschien zou kunnen helpen.'

Geertje had geen idee. Waarmee dacht die boerenzoon haar dan te helpen?

'Met de hond,' zei Hannis. 'Ik heb de mijne meegenomen. Als je wilt, mag je hem hebben.'

Geertje keek naar het bibberhondje dat haar verwachtingsvol aankeek met zijn donkerbruine ogen. Het was een ongelofelijke minkukel van een hondje. Zou ze hem iets kunnen leren?

 Hannis leek haar twijfel te begrijpen want hij zei snel: 'Hij is echt heel leergierig. Hij vindt alles wat je kwijt bent. Hij is een goede schapendrijver, daar zou je een leuke show van kunnen maken.'

Geertje haalde haar schouders op. Wat moest ze met zo'n hondje als ze geen schapen had? Niets. Maar ze wist ook dat ze niet kon weigeren. 'Bedankt,' zei ze.

Om te laten zien dat hij helemaal niet zo dom was als hij eruitzag, trippelde Knakker onder de schragentafel door naar haar toe en ging aan haar voeten liggen. Ze bukte zich en aaide hem over de kop.

'En nog iets.'

Ze had het al gedacht. Dit was nog niet alles.

'Ik dacht dat je het misschien zou willen weten. Maar François...'

Geschrokken kwam ze weer overeind en keek recht in de blauwe ogen van Hannis. 'Wat is er met François?'

'Hij is er niet meer. Gisteravond is hij met zijn moeder vertrokken.'

'Om op Geerestein, dat buitenhuis bij jou in de buurt, te gaan slapen?' vroeg Geertje. Ze hoopte maar dat het waar was. François had haar er zelf over verteld. Zijn moeder hield er niet van om in een soldatentent te slapen.

'Naar Groningen,' zei Hannis.

'Omdat...?'

Hannis haalde zijn schouders op. 'Ik denk omdat zijn vader boos op hem was. Om wat er gisteren is gebeurd.'

'Heeft hij daar dan de schuld van gekregen?'

'Ja, François moest ervoor zorgen dat de papierrol, de munt en de medaille in de loden koker werden gestopt.'

'Maar waarom liep jij dan met die koker rond?' vroeg Geertje verbaasd.

'Omdat François dat had gevraagd, natuurlijk. Ze vragen mij overal voor. En zolang ze ervoor betalen, doe ik alles voor ze. Toen liep alles in het honderd. Maar daar had ik natuurlijk niets mee te maken. Het was...' Hannis maakte zijn zin niet af.

Geertje dacht aan Vos.

Knakker likte haar hand.

'Ik moet weer aan het werk,' zei ze.

'Ik moet je nog iets zeggen,' zei Hannis. 'Heb je zin om

een keer...' Maar hij kreeg niet de kans zijn zin af te maken. Friedrich was teruggekeerd achter de kraam. Bij het zien van Hannis riep hij treiterig: 'Nog iets nodig? Nee? Ingerukt mars!'

Hannis vertrok.

Geertje bleef in verwarring achter. Waar had François nu eigenlijk de schuld voor gekregen? Voor de dood van Vos? Voor het omslaan van de koets? Had hij moeten opdraaien voor de ellende die eigenlijk door haar hond was veroorzaakt?

'Geef die flessen reukwater eens aan.'

Met tegenzin deed ze wat Friedrich haar vroeg. Verbaasd keek ze toe hoe hij de doppen van de flessen verwijderde, de inhoud over een aantal lege flessen verspreidde en de half gevulde flessen bijvulde met water.

Geertje kon het niet laten zich ermee te bemoeien: 'Wat ben je nu aan het doen? Dat is toch zwendel?'

Nors beet hij haar toe: 'Ik moet toch ergens mijn winst op maken?'

'Het is bedrog.'

'En jij hebt je nergens mee te bemoeien. Je had beter op die hond moeten letten. Of wil je soms kunstjes gaan doen met het lijk?'

Dat was één woord te veel. Het was alsof ze erop had gewacht. Dat ene laatste woord stond haar toe om weg te lopen en nooit meer terug te gaan naar de mensen die zich haar ouders noemden. Ze had geen ouders. Ze had ook geen ouders nodig. Er waren genoeg mensen die wél aardig waren. François, bijvoorbeeld. Of Hannis.

Zonder een woord te zeggen, wurmde ze zich uit haar schort, liet het op de grond vallen en liep weg van de kraam. Marie-Antoinette en Knakker volgden haar.

'Hier-r-r-r-r!' klonk het.

Geertje deed of ze niets hoorde. Het poedeltje bleef staan.

'Hier-r-r-r-r!' deed Geertje Friedrich na. Gelukkig luisterden de beestjes beter naar haar dan naar die vervelende griezel. Nu moest ze nog hopen dat hij haar niet achterna kwam.

De redding kwam van moeder Maria, die ze hoorde roepen: 'Laat haar maar, ze trekt wel weer bij.'

Mooi zo! Laat ze maar denken! Nu ze eenmaal weg was, zou ze zich wel honderd keer bedenken voor ze bijtrok en met hangende pootjes terugging naar dat krot in de zandwoestijn. Weg was weg. Alleen jammer dat ze Maria zou moeten missen. Maria kon er niets aan doen dat ze met die man zat opgescheept. Wist zij veel dat mensen eigenlijk gelijk waren.

Tussen de soldatententen kwam Geertje tot rust. Het was er ook wonderlijk stil. Waar was iedereen gebleven? Hier en daar kringelde de rook omhoog van een in de steek gelaten vuurtje. Een paar kippen scharrelden rond achter een hekwerk van gevlochten wilgentenen. Nergens klonken schoten, het leger was niet op de heide voor een oefening-onder-vuur. En van een oefening-zonder-vuur had ze nog nooit gehoord.

Ongemerkt bereikte ze het pad dat schuin van de kilometerslange tentenrij wegliep in de richting van de Leusderhei. Daar was ze niet langer alleen. Een lang lint van burgers en soldaten wandelde over het pad alsof ze op weg waren naar iets bijzonders dat daar ergens in de grote zandwoestijn te gebeuren stond.

Geertje voegde zich bij hen. Het maakte haar niet uit waar ze terechtkwam. Elke bestemming was goed, zolang die maar niet Marmontville heette. Af en toe keek ze naar Knakker die haar met de staart tussen de benen naliep. Ze wilde niet dat hij net als Vos vertrapt zou worden door de hoeven van een paard of onder de wielen van een kar zou raken. Er waren veel wagens en karren die haar achteropkwamen. Sommige wagens waren beladen met zakken, andere met scheppen. Er kwam er zelfs een met kruiwagens voorbij.

Onder het lopen ving Geertje flarden op van de gesprekken om haar heen.

'Als we maar op tijd komen.'

'Wat denk je dat we te zien krijgen?'

'Een piramide, dat zei ik toch.'

Reikhalzend keken de mensen zo ver mogelijk vooruit, over de hoofden van de mensen voor hen. Geertje probeerde dat ook, maar ze zag niets anders dan mensen, nog veel meer mensen. Nog steeds had ze geen idee waar ze naar op weg was. Tot er toch eindelijk een einde aan de wandeling kwam. De soldaten groepeerden zich. Het publiek verspreidde zich rondom een wonderlijk vlakke vlakte. Zoals ze al eerder had gedaan, zorgde Geertje ervoor dat ze vooraan kwam te staan. Als er iets bijzonders gebeurde, wilde ze er niets van missen.

'Kijk, daar zijn ze al,' klonk het naast haar.

Klaroengeschal kondigde de komst van de hoge pieten aan. En inderdaad, daar kwamen ze. De rijen gingen uiteen om commandant Marmont en zijn divisiegeneraals door te laten. Net als de anderen zat ook de vader van François fier op zijn paard.

Aan de rand van de open cirkel stegen ze af. De paarden werden weggevoerd. Een paar soldaten snelden toe. Ze bleven voor de commandant staan, vouwden een juten zak open en hielden die voor hem op. Een andere soldaat kwam aanlopen met een schep. Marmont nam de schep met een knikje aan, stak hem in de grond en schepte wat zand in de zak. Die handeling herhaalde hij nog een paar keer. Marmont knikte weer ten teken dat hij genoeg geschept had. Waarop de zak door de twee soldaten werd dichtgebonden. Weer een knik en de zak met de vijf scheppen zand werd door de twee soldaten plechtig aan de commandant overhandigd. Die liep ermee naar het midden van de cirkel en stortte hem leeg. Triomfantelijk keek hij om zich heen, alsof hij een heldendaad had verricht. Opnieuw klonk er klaroengeschal. Tamboers roerden hun trommels. En op het ritme van de trommelslagen kwam een lange rij zakkendragers op gang. Eerst de officieren, daarna het gewone voetvolk. Langzaam groeiden de contouren van een vierkant grondvlak dat werd opgevuld met aarde die rondom werd uitgegraven. Al na korte tijd ontstond er buiten het vierkant een grote cirkelvormige geul, een droge sloot. Met een beetje goede wil kon Geertje er het begin van een slotgracht in ontdekken. Maar het vierkant in het midden bleef een plat vlak. Moest dit een piramide worden, zoals François voor haar had uitgetekend?

Omdat ze dorst en honger kreeg, bedelde ze bij een veldpost om water en brood. Ze zette haar liefste gezicht op en kreeg waar ze om vroeg. Ze deelde het water en het brood met de honden. Terwijl ze dat deed dacht ze na over wat haar te doen stond. Bij de platte piramide blijven? Op zoek gaan naar een slaapplaats? Alles leek haar beter dan de lekkende tent achter de kraam. Maar waar kon ze terecht?

Plotseling werd ze door een paar soldaten ruw opzij geduwd. Iedereen die zich in de buurt van de veldpost ophield, werd weggestuurd. En dat allemaal omdat de hotemetoten eraan kwamen.

'Plaatsmaken!'

'Opschieten!'

'Dek de tafels! Wat sta je nu te kijken? Steek liever je handen uit de mouwen!'

'Wie, ik?' Geertje keek verbaasd naar de man die haar had aangesproken. Hij had een witte muts op zijn dikke kale kop.

'Nou, komt er nog wat van?'

Ze rook haar kans. 'Wat moet ik doen, dan?'

'Alles wat ik je opdraag. En als beloning een hap eten en een grijpstuiver.'

'En een slaapplaats,' blufte Geertje.

De kok keek haar onderzoekend aan, met samengeknepen wimpers.

'Ik ben het gewend om in tenten en onder karren te slapen.' Terwijl ze dat zei, pakte ze een stapel borden uit een kist en begon er de tafel mee te dekken.

'Vier is genoeg,' zei de kok. 'En vergeet de champagneglazen niet.'

'En het bestek, meneer?' vroeg Geertje.

'Het is Leo,' zei de kok. 'Het zilver zit in de onderste kist. En vlug een beetje. De heren hebben haast, zo te zien.'

Geertje keek vanuit haar ooghoeken naar de wachtende mannen. Twee ervan kende ze. Het waren Marmont en Dumonceau, François' vader. Ze keerde hun de rug toe. Het leek haar op de een of andere manier beter om niet te worden herkend. Aan de andere kant zou meneer Dumonceau haar kunnen vertellen waar zijn zoon was gebleven. En waarom hij hem had weggestuurd.

Kok Leo nodigde de vier legerofficieren aan tafel. Geertje moest de etenswaren opdienen: brood, kaas, worst, vijgen, noten. En toen de dranken: water, melk, champagne. Al die tijd lukte het haar om zich onzichtbaar te houden voor de vader van François.

Maar toen kregen de honden lucht van de heerlijkheden

die op de tafel stonden uitgestald. Marie-Antoinette ging met haar voorpootjes in de lucht zacht zitten janken. Ze werd door de etende en pratende mannen volkomen genegeerd. Maar Knakker dacht het slimmer aan te pakken. Hij ging op zijn achterpoten staan en kon met zijn snuit precies bij de plank met de worsten.

'Knakker, af!' riep Geertje in een poging het hondje te stoppen. Maar het was al te laat. Het beest had de worst te pakken en dook ermee naar de grond. Razendsnel bukte Geertje zich en greep met haar ene hand de hond bij zijn nekvel, met de andere hand rukte ze de worst tussen zijn tanden vandaan en legde die terug op de tafel. Even leefde ze in de veronderstelling dat ze zich daarmee uit de situatie had kunnen redden, maar die hoop bleek ijdel toen Dumonceau schreeuwde: 'Grijp die hond. Dat is het mormel dat mijn onderscheiding heeft kwijtgemaakt.'

'Meneer, u vergist zich,' zei Geertje zo beleefd mogelijk. Maar ze kreeg niet de kans haar punt te maken.

'Uit mijn ogen! Ik wil je hier nooit meer zien!' Dumonceau verhief zich dreigend uit zijn stoel. Twee van zijn soldaten holden op een sukkeldrafje achter Knakker aan. Geertje begreep er niets van. Kon de vader van François niet zien dat ze een heel ander hondje bij zich had? Eigenlijk voelde ze niets voor een overhaaste vlucht. Niet nu ze net vriendschap

had gesloten met de kale kok. Maar toen ze die hoopvol aankeek, was alles wat ze te horen kreeg: 'Nou, waar wacht je nog
op? Je bent hier niet welkom.'

Boos ging Geertje haar honden achterna die op hun beurt
werden achtervolgd door twee hollende soldaten die gelukkig
niet al te veel moeite deden om de dieren werkelijk te pakken te krijgen. Toen ze het tweetal passeerde trok ze een lelijk
gezicht naar hen. De mannen zagen er rood en bezweet uit.
De sneue stakkerds!

Ver van de piramide-in-aanbouw hervond Geertje het gezag
over haar hondenspul. Ze sprak de poedel en het gebochelde
bibberbeestje vermanend toe. Schuldbewust bibberden ze om
het hardst.

'Volg!' zei ze streng. En samen gingen ze op weg, zonder
dat Geertje ook maar enig idee had waarnaar die weg hen
zou leiden.

Zomaar ergens langs de zandweg vond ze een lang stuk
touw waarvan ze het ene eind om de hals van Knakker bond
en het andere om de hals van Marie-Antoinette. Daarna
maakte ze in het midden een lus. 'Zo,' sprak ze tot haar
onderdanen. 'Nu lijk ik net een freule die samen met haar
hondjes door de tuinen van haar paleis paradeert. Straks
komt er een luitenant om mij te vragen mee te gaan naar het
bal. Ik hoor zijn koets al komen.'

Maar in plaats van een koets werd Geertje ingehaald door
een wagen die was volgeladen met kreunende en steunende
soldaten. Een edele ridder was in geen velden of wegen te
zien.

Plotseling wist Geertje naar welke redder ze eigenlijk op
weg was: Hannis! Knakker wees haar de weg. Erg ver kon het
niet zijn naar de boerderij in Woudenberg. Dat ze daar niet
eerder aan had gedacht!

Woudenberg

72   Het was al donker toen Geertje bij de boerderij van de familie Lagerweij aankwam. Om geen lawaai te maken, sloop ze het erf op. Ze hield de honden kort aan de lijn.

Geertje zag het schijnsel van een kaars achter een van de ramen, maar ze durfde niet aan te kloppen. Wat moest ze beginnen als ze niet welkom was? Ze kon nergens anders heen en ze moest toch ergens de nacht doorbrengen.

Aan de achterkant van de boerderij vond ze een deur die op een kier stond. Ze glipte naar binnen en werd bijna bedwelmd door de geur van stro en mest. De warmte van koeienlijven straalde haar tegemoet. Langzaam wenden haar ogen aan het donker en kon ze in de stal haar weg vinden. De beesten die ze voor koeien had aangezien, bleken kalveren te zijn. In het stro tussen de dieren was ruimte genoeg voor een extra gast. Op zoek naar iets eetbaars vond ze een emmer waarin nog iets wits glinsterde. Ze hield de emmer bij haar mond, maar de melk was zo dik als pap. Ze moest haar vingers door de emmer halen en aflikken om iets binnen te krijgen. De pap was vet en zoet. De honden likten de laatste restjes uit de emmer.

Ook al was het maar een beetje, het stilde haar honger en toen ze naast de kalfjes in het stro ging liggen, viel ze meteen in slaap.

Ze werd wakker van geblaf. Toen ze opkeek, zag ze de grommende bek van Marie-Antoinette. Het blaffen was afkomstig van Knakker die kwispelend opsprong tegen de lange rokken van een grote vrouw.

'Jongetje, toch. Ben je zo blij het vrouwtje weer te zien?' zei ze vrolijk. Het leek Geertje dat het beestje meer belangstelling had voor de inhoud van de emmer die de vrouw bij zich droeg. Er klotste iets wits over de rand en Knakker deed alle mogelijke moeite om het lekkers op te vangen.

'Dan ben jij zeker Geertje?' vroeg de vrouw. 'Hannis heeft over je verteld.'

'Ja, dat ben ik,' zei Geertje, opgelucht dat de moeder van Hannis zo aardig tegen haar deed.

'Trek in wat biest?'

'Biest?' vroeg Geertje.

'Het is de dikke melk van een koe die een paar dagen geleden gekalfd heeft. Het is echt een lekkernij.'

'Graag,' zei Geertje. Nu wist ze wat de pap was die ze gisteren van haar vingers had gelikt.

'Ga maar een kom halen in de keuken, daar zijn de jongens ook.'

Geertje veegde de strootjes van haar rok en liep de stal uit. Maar voor ze het zonlicht instapte, draaide ze zich om en zei: 'Mevrouw, zou ik een poosje hier mogen blijven? Ik zal u echt niet tot last zijn. Ik kan heel hard werken.'

'We zullen wel zien,' zei de vrouw. 'Zeg maar Errisje. Ik ben Hannis' moeder.'

'Ja, mevrouw,' zei Geertje en ze liep bijna huppelend de keuken binnen. Daar bogen drie jongens zich over hun papkommen.

'Wat doe jij hier?' vroeg Hannis verbaasd terwijl hij een witte klodder van zijn kin veegde.

'Ik ben weggelopen,' zei Geertje.

'Ja, dat snap ik,' zei Hannis. 'Biest?'

Geertje knikte.

'De kan staat op het aanrecht. De kommen staan op de plank. De lepels liggen in de la.'

Geertje bediende zichzelf. Daarna ging ze naast Hannis op een kruk zitten. Zonder naar haar te kijken schoof hij haar de strooppot toe. Ze doopte haar lepel in de pot en voorzag haar pap van een glanzend bruine stroopspiraal. Meteen na de eerste hap wist ze het zeker, ze had nog nooit zoiets lekkers gegeten.

Zonder een woord te zeggen lepelden de drie jongens hun kommen leeg, stonden op en verlieten de keuken. Maar even later stond Hannis weer in de deuropening. Hij bleef staan tot Geertje hem aankeek. Toen zei hij: 'We moeten aan het werk.'

'Ik ook,' zei Geertje. 'Wat kan ik doen?'

'Vraag dat maar aan mijn moeder. Het is maandag, dus ze zal de was wel gaan doen.'

Geertje bleef alleen achter. Ze had eigenlijk meer gedacht aan helpen op het land: wieden, ploegen, oogsten. Het echte werk. Maar op de boerderij ging het gewone leven door: vrouwen deden de was. Nou, dat moest dan maar.

'Zo te zien heeft het je goed gesmaakt!' Errisje kwam de keuken binnen en begon de tafel af te ruimen.

'Dat doe ik wel,' zei Geertje snel. Ze stapelde de kommen op en bracht ze naar het aanrecht. Ze spoelde het vaatwerk schoon onder de pomp. Errisje droogde de kommen, de kan en de lepels af. Daarna nam ze Geertje mee naar de bijkeuken. Er stonden drie wasmanden klaar met wasgoed.

'Mijn moeder wast ook,' vertelde Geertje. 'Alle dagen. Voor de Bataafse divisie.'

'Je ouders hebben een zwaar leven,' zei Errisje begripvol. 'Misschien zijn ze wel blij als ze horen dat je hier een poosje kunt blijven. Het scheelt hun een mond om te voeden. En ik heb eindelijk een dochter.'

Zo had Geertje het leven nog nooit bekeken. Ze was een mond, en die mond was haar pleegouders tot last. En nog iets: er waren mensen die naar dochters verlangden.

Na drie dagen hard werken wist Geertje alles over de familie Lagerweij. Hannis was de middelste van drie broers. Wulfert was vijftien. Jan was zeven. Hannis zelf was dertien. Er waren meer kinderen geweest. Twee jongens en een meisje, maar die waren kort na hun geboorte overleden. Klaas, Hannis' vader, was een goedzak die zijn zoons nooit ook maar de geringste klap had gegeven. Schelden en tieren deed hij niet. Schoppen deed hij alleen tegen de muur van de boerderij om de klei van zijn klompen te krijgen. Hij hoefde nooit uit zijn slof te schieten. De jongens vlogen voor hem.

De vierde dag schopte Geertjes plannen in de war. Het liefst was ze haar hele leven bij de familie op de boerderij blijven wonen. Maar het leger had andere plannen. Halverwege die vrijdag de veertiende september ging het gezin zoals altijd aan tafel. Vriendelijk vroeg vader Klaas aan Geertje wat haar ouders had doen besluiten naar Zeist te verhuizen. Toen ze haar verhaal had gedaan, zei hij: 'We proberen allemaal een graantje mee te pikken. Maar dat valt voor ons boeren niet mee. Elke dag moeten we voldoen aan nieuwe verordeningen. Mijn land wordt leeggeplunderd, mijn houtvoorraad is geroofd en als ik eindelijk mijn wagen terug heb om de oogst binnen te halen, wordt hij gevorderd voor militair gebruik.'

'Maar daar krijgt u toch voor betaald?' wierp Hannis tegen.

'Dat weegt niet op tegen de ellende die Marmont en zijn leger ons bezorgen. Ik wil zelf bepalen op welk moment ik mijn spullen verhuur en aan wie. Nu staat mijn oogst te rotten op het land.'

Geertje luisterde verbaasd naar de discussie. Kennelijk was het in dit gezin heel normaal dat een kind een vader tegensprak.

'Ik vind het wel lachen,' zei Wulfert. 'Met al die soldaten in de buurt is er eindelijk iets te beleven. Het is anders maar een dooie boel.'

Vader Klaas gaf zijn zoon een liefdevolle klap op de schouders. 'Ja, daar kan ik inkomen, zoon. In mijn jeugd moesten we het doen met de jaarmarkt. Dat was de enige kans om een leuke meid aan de haak te slaan.' Hij wierp een steelse blik op zijn vrouw. Toen keek hij Geertje aan en knipoogde naar haar. Die knipoog werd door de anderen ook gezien, want Hannis begon te blozen en Wulfert sloeg lachend met zijn hand op tafel. De kleine Jan keek zijn moeder vragend aan: 'Moe, wat is er nou zo grappig?'

'Ach jongen, dat leg ik je later nog wel uit. Ze plagen Geertje maar een beetje.'

Alle jongens keken naar Geertje. Ze werd gered door de honden die buiten aansloegen. Er klonk hoefgetrappel, kort daarna gevolgd door een klop op de deur. Jan was er als de kippen bij om open te doen. In de deuropening verscheen een geüniformeerde man. Hij wapperde met een vel papier en zei: 'U krijgt inkwartiering.'

'Wat krijgen we?' vroeg vader Klaas verbaasd.

'Inkwartiering. Een besluit van Marmont. Er zijn honderden soldaten ziek geworden. Het is onverantwoord hen nog langer in tenten te laten bivakkeren. In alle dorpen in de omgeving worden woningen gevorderd om de zieken onderdak te brengen. En u staat kennelijk op de lijst. Bent u Klaas Lagerweij?'

'Ja, dat ben ik,' zei Hannis' vader. 'En als ik het goed begrijp zijn we de klos.'

'Als u het zo wilt zien, is het mij best,' antwoordde de officier. 'U kunt het ook zo bekijken: wij stellen u in de gelegenheid om iets terug te doen voor uw land. We hebben het aan de Fransen te danken dat het land is gered van de ondergang.'

'En als ik dat niet wil?'

'Dan wordt u gedwongen. We hebben trouwens ook uw paarden en een gesloten wagen nodig. U kunt toch niet van de zieke soldaten verwachten dat ze het hele eind komen lopen?'

'Wat zei ik?' zei vader Klaas met een zucht. 'Hannis, kun jij samen met je meisje de paarden inspannen? Wulfert heb ik hier nodig.'

'En ik dan?' wilde Jan weten.

'Jij blijft ook hier. Help jij moeder maar met de was.'

'Nee, dat wil ik niet. Ik wil ook mee.'

'Nou, vooruit dan maar. Als je maar niet in de weg loopt.'

En zo zat Geertje even later op de bok van de huifkar. Hannis hield de leidsels vast. Jan zat tussen hen in. Triomfantelijk keek hij hen beurtelings aan. 'Dus Geertje is jouw meisje?' vroeg hij aan zijn broer.

'Hoe kan ik dat nou weten?' antwoordde Hannis stuurs.

'Ja, toch?' Nu richtte het joch zich tot Geertje.

'Echt niet!' was alles wat Geertje zei. Ze kon het zelf niet goed begrijpen, heel even had de boerenhoeve haar een veilige vluchthaven geleken. Een plek om altijd te blijven. Maar plotseling moest ze er niet aan denken dat er daarmee een eind kwam aan haar avontuurlijke leven.

De koker

Ze lieten Woudenberg achter zich.

Op het land was het een en al bedrijvigheid.

'Het is oogsttijd,' lichtte Hannis ongevraagd toe. Hij brak een stuk van de broeder en stak het haar toe. Geertje smulde van de cake. Hannis' moeder blonk uit in het maken van zoete baksels.

'Wat zijn ze daar nou aan het doen?' Jan, die tussen hen ingeklemd zat, ontdekte de mierenhoop in de verte als eerste. Het was inderdaad een vreemd gezicht: in onafzienbare rijen liepen duizenden mannen af en aan met hun kruiwagens. De zandzakken uit die kruiwagens werden door andere mannen overgenomen, op de schouders genomen en omhoog gebracht. En al die mannen deden dat in het ritme dat door een groep trommelslagers werd gegeven. Doef... doef... doef... doef... doef!

Hannis probeerde zijn broertje uit te leggen wat de bedoeling was, maar slaagde daar niet in.

Geertje daarentegen zag voor haar ogen een wonder gebeuren. Ook al was het bouwwerk nog niet veel hoger dan een meter of vier, ze zag dat er hier een belofte werd waargemaakt: de vier schuine zijden zouden ooit samenkomen in één punt. Nu bestond het hoogste punt van de piramide nog niet uit aarde en zand, maar uit een viertal boomstammen die in het midden van de heuvel waren opgericht. De boomstammen stonden in een put. Rondom die put was iets aan de gang. Geertje kon niet goed zien wat. Ze moest wachten tot hun huifkar de bouwplaats dicht genoeg genaderd was. Hannis wilde doorrijden.

'Je moet stoppen!' riep Geertje. Ze werd op haar wenken

bediend, want het verkeer op de Woudenbergseweg begon vast te lopen. Koetsjes, kruiwagens, karren, alles kwam tot stilstand. Over de hoofden van de toegestroomde bezoekers kon Geertje zien wat er gaande was. De hoge officieren verzamelden zich rondom de put. Ongetwijfeld waren Marmont en Dumonceau ook van de partij. Er ging een zwaar voorwerp van hand tot hand.

'Kijk, de koker,' riep Geertje opgetogen. 'Ze gaan hem begraven.'

Hannis reageerde niet. Hij hield zijn ogen strak op de weg en deed een verwoede poging om de rij voor hen te passeren. De huifkar begon langzaam weg te glijden in de richting van de greppel naast de weg. Geertje gleed mee. Ze strekte haar handen uit om zich ergens aan vast te grijpen, maar ze vond alleen de smalle schouders van Jan. Die gaf een angstige gil waardoor ze meteen weer losliet. Daardoor werd haar val onvermijdelijk. Op het moment dat ze de grond voelde, probeerde ze al kruipend bij de kar vandaan te komen, bang dat ze hem over zich heen zou krijgen. Een paar meter verder werd ze overeind geholpen door een behulpzame soldaat. Zonder hem aan te kijken, sloeg Geertje het zand van haar kleren. Toen keek ze pas achterom en zag dat Hannis er ternauwernood in slaagde de kar weer op het pad te krijgen.

'Nou, er kan geen bedankje vanaf,' zei de soldaat die naast een kruiwagen vol scheppen stond. 'En ik maar denken dat je van die kar sprong om me te komen helpen.'

'Ik kijk wel uit,' liet Geertje zich ontvallen.

'Voor jou een ander,' zei de soldaat.

'Niet voordringen, juffrouw,' riep een dikzak die een geknoopte zakdoek op zijn hoofd had gelegd.

Toen zag Geertje het pas, alle omstanders werden in de gelegenheid gesteld een handje te helpen met de bouw van de piramide. En de meeste dagjesmensen wilden dat maar wat graag. Ze stonden in de rij voor de soldaat met de kruiwagen. Geertje was, in haar poging de kar te ontwijken, pal naast die kruiwagen terechtgekomen.

Plotseling bedacht ze zich. 'Ja, dat wil ik wel,' zei ze snel. Ze greep een schep en begon te scheppen.

'Wat een haast ineens,' zei de dikkerd met de zakdoek terwijl hij een juten zak voor haar ophield. 'Het is nu toch te laat, hoor.'

'Te laat voor wat?'

'Om je naam op de rol te krijgen. Alle soldaten die aan de piramide meewerken, krijgen hun naam op de rol. Die rol zit in de koker die ze nu aan het begraven zijn.' De man liet de zak los en wees naar omhoog. Het zand dat Geertje in de zak had willen kieperen, belandde op een paar gepoetste leren schoenen. De manier waarop de man eerst naar zijn schoenen keek, en toen naar haar, zei haar genoeg: hoog tijd om weg te wezen. Ze vluchtte in de richting van de piramide. Knakker vluchtte voor haar uit. Toen ze bleef staan om uit te hijgen, stopte als bij toverslag het geluid van de trommels. Klaroenblazers staken hun instrumenten in de lucht en toeterden erop los. Geertje keek het bibberhondje na dat als een pijl uit de boog de helling van de halve piramide opvloog. Aangekomen bij de heren Marmont en Dumonceau die samen de koker vasthielden, bleef hij staan en blafte de longen uit zijn magere lijf. Pas toen de vader van François hem een ongenadige trap had verkocht, keerde Knakker zich om en rende recht op Geertje af. Het leek wel of hij haar met zijn geblaf duidelijk wilde maken dat ze hem moest volgen naar boven, naar de plek waar de koker ondertussen door de twee hoge heren in de grond werd gestopt tussen de rechtopstaande stammen. Geertje keek wel uit.

'Spring maar achterop!' Hannis kwam haar halen. 'Sorry dat ik je niet kon helpen. Je begrijpt wel, de paarden...'

Geertje begreep het.

Even later zat ze weer naast Hannis op de bok.

'Wat was er nou aan de hand?' wilde hij weten.

'Ze begraven de koker in de piramide.'

'Rare lui, die Fransen.'

'Zeg dat wel,' zei Geertje. 'Weet je dat ik nog altijd niet begrijp wat dat nou voor gedoe was met die medaille? Iedereen zocht ernaar, maar toen ik hem had gevonden, werd ik volkomen genegeerd. Ik ben toch niet gek? En kennelijk weet Knakker er meer van. Waarom rent dat beest anders als een gek op die koker af? Het is toch raar dat een hond meer weet dan ik?'

'Het waren er twee.'

'Hoe bedoel je?'

'Er waren twee medailles. Dumonceau kreeg er een opgespeld. Die andere hebben ze in de koker gestopt, samen met de rol van perkament en een gouden munt met de beeltenis van Napoleon.'

Geertje begreep het. Alles wat er was gebeurd, was dat de twee medailles waren verwisseld. Die van Dumonceau zat nu in de loden koker. De medaille die uit de koker was gegleden, had Geertje op de tafel in de tent gelegd. Niets aan de hand.

'Het blijft eeuwig zonde,' mompelde Hannis.

'Wat?'

'Wie stopt er nou geld in de grond?'

Geertje keek verbaasd naar opzij. De manier waarop de boerenzoon het woord 'geld' uitsprak, verried een diep verlangen naar rijkdom. Een beetje gelijk had hij natuurlijk wel. Geld was belangrijk. Ze bezat zelf ook niet meer dan één enkel geldstuk. Die ene munt zat veilig tussen de zool van haar schoeisel. Om er zeker van te zijn stak ze haar vinger in haar versleten schoen. De verdikking die ze voelde, stelde haar gerust. De geluksmunt van François zou ze zo lang mogelijk bewaren.

Plotseling viel het Geertje op dat ze wel heel dicht in de buurt van de marketentersmarkt kwamen.

'Waar rij je heen?' vroeg ze paniekerig.

'Naar de markt.'

'Dat wil ik niet.'

'Ik heb het mijn ouders beloofd.'

Geertje keek naar Hannis die strak voor zich uit bleef kijken. Hij meende wat hij zei.

'Dan verstop ik me.'

'Moet jij weten. Je bent nu eenmaal een wegloper.'

'Je kletst. Boer! Wat heeft François eigenlijk over mij gezegd?'

'Hoe bedoel je?'

'Je zei dat hij iets over mij had gezegd.'

'Ik zou niet weten wat.'

'Dat weet je best.'

'Niet nu.'

Nu keek Hannis opzij en wierp een veelbetekenende blik op Jan, de kleine Jan die kennelijk niet mocht horen wat er te zeggen was.

Of ze wilde of niet, Hannis stuurde de huifkar tussen de linies van de tenten door in de richting van het marktplein. Daar was iets bijzonders gaande: een man bewoog zich hoog boven de grond over een touw. Telkens als hij net deed of hij ging vallen, zwol het applaus aan. Geertje was graag blijven kijken, maar toen ze te dicht in de buurt van Friedrichs kraam kwamen, siste ze tegen Hannis: 'Stop!' Meteen dook ze naar achteren en verstopte zich tussen de juten zakken. Even later hoorde ze Hannis roepen: 'Ik moet u de groeten doen van Geertje. Ze blijft bij ons.'

'Gedraagt ze zich een beetje?'

Geertje herkende de stem van Friedrich.

'Ze helpt.'

'Hoe maakt ze het?' Dat was de stem van moeder Maria. 'Ze is toch niet ziek? Zeg haar dat ik haar ontzettend mis.'

Geertje moest zich bedwingen om niet vanonder de zakken tevoorschijn te komen. Ze miste haar moeder ook.

'Nou, dan ga ik maar weer,' zei Hannis. 'Ik ben gestuurd om soldaten op te halen. Ze zijn allemaal ziek geworden. Het is ook geen wonder. Iedereen zou ziek worden in zo'n smerige tent.'

De kar kwam weer in beweging. Stapvoets. Ze hoorde nog net wat Friedrich tegen Maria zei: 'Zieke soldaten! Wat een aanstellers. Die jongens zijn te beroerd om de handen uit de mouwen te steken. Nou ja, geef ze eens ongelijk. Als ik moest meehelpen aan zoiets doms als het bouwen van een piramide, zou ik ook doen of ik ziek was.'

In het tentenkamp klommen acht hoestende en snotterende soldaten achterop. Geertje ging weer naast Hannis op de bok zitten.

'Wat een aanstellers,' zei Geertje. Ze wees naar de passagiers achter hen.

'Huh?'

'Te lui om de handen uit de mouwen te steken.'

Hannis liet de zweep klakken boven de ruggen van de paarden. Het was genoeg om hen in draf te krijgen.

De inwijding

Geertje moest haar plaats op de zolder van de boerderij afstaan aan het achttal zieke soldaten. Ze sliep weer in het hooi bij de kalveren. Errisje schakelde haar in om de zieken te verzorgen.

De familie Lagerweij schikte zich in hun lot. Voor zover ze daartoe in staat waren, mochten de zieken in de grote keuken aanschuiven aan tafel. Geertje verstond geen woord van wat de Duitsers zeiden. Ze begreep ook helemaal niet wat Duitse soldaten in het Bataafse leger deden.

'Het zijn huursoldaten,' zei vader Klaas die een woordje Duits sprak.

Geertje begreep niet waarom iemand zich zou laten inhuren om op de hei tussen Zeist en Woudenberg een piramide op te werpen.

'Het is nu eenmaal hun beroep,' legde vader Klaas uit. 'Ze wachten op oorlog.'

'Met wie dan?' wilde Geertje weten.

'Met Engeland.'

'Komen die dan ruzie met ons maken?'

'Vorig jaar hebben de Fransen geprobeerd om via Den Helder over te steken naar Engeland. Daar zijn de Engelsen nog steeds woedend om. En dan is er nog een kans dat de Pruisen ons land komen binnenvallen. Ze willen wraak omdat de Fransen Wilhelmina van Pruisen hebben weggejaagd. Het schijnt dat de hele Oranjefamilie nu ergens in Duitsland zit te wachten. Zodra de Fransen zijn verslagen, komen ze terug naar Nederland. Tot die tijd zijn ze bannelingen.'

'Ik snap er niks van,' zei Geertje. 'Als de Duitsers ons land binnenvallen, moeten ze niet alleen vechten tegen Franse soldaten, maar ook tegen huursoldaten uit hun eigen land: Duitsland?'

'Oorlog is oorlog,' zei Hannis. 'Het lijkt me geweldig om betaald te krijgen voor het verjagen van die rare Fransen.'

'Daar denkt François heel anders over,' wierp Geertje tegen.

'Dat spreekt voor zich.' Hannis keek haar triomfantelijk aan. 'Zijn vader wordt door de Fransen betaald.'

'Dat zie je verkeerd,' onderbrak vader Klaas hem. 'De Fransen zijn hier op ónze kosten. Ze dwingen ons land om de aanwezigheid van hun leger te betalen. Dus niet alleen hun soldij, maar ook hun eten, hun drinken, hun beddenstro en hun tenten. Het is allemaal ons geld.'

'Dus die piramide is ook eigenlijk van ons?' vroeg Geertje blij.

Hannis' vader barstte in lachen uit. 'Als je het zo bekijkt, ja, dan is die hele molshoop van ons.'

De Duitse gasten lieten zich het eten dat Errisje hun voorzette goed smaken. Ze waren blij dat ze eindelijk eten zonder zand aten, dat ze in een droog bed sliepen en dat ze niet hoefden te helpen bij de bouw van de piramide. Het kostte Geertje niet veel moeite om dat uit hun onderlinge gesprekken op te maken. 'Er ist krank im kopf,' zeiden ze als ze het over generaal Marmont hadden en ze wezen daarbij naar hun eigen hoofden.

Wulfert en Hannis waren hele dagen weg om, zoals Hannis het zei: 'Voor de vijand te werken.'

Op zaterdag kwamen de twee jongens thuis met rode konen van opwinding. Ze struikelden over elkaars woorden.

'Morgen is het feest.'

'Hij is af.'

'Met vuurwerk.'

'De officiële inwijding.'

'En een groot diner.'

'Nou ja, natuurlijk niet voor ons.'

'Er komt muziek en een bal.'

Geertje dacht aan François. Hij hoorde vast bij de genodigden. Misschien was dit dé kans om hem weer te ontmoeten. Ze streek met haar hand door haar rode piekhaar. Ze was nu een boerenmeid die naar mest rook. Zo kon ze de generaalszoon onmogelijk onder ogen komen.

'Vanaf morgen mag iedereen erop.' De jongens gingen maar door met hun enthousiaste uitroepen.

'Ze zeggen dat je Utrecht kunt zien en Amersfoort.'

'Nou ja, de kerktorens.'

'We gaan toch ook?'

'Iedereen gaat.'

'Houd je mond nu eens even,' zei Wulfert en hij gaf Hannis een stomp.

Samen wachtten ze af wat hun ouders zouden zeggen.

'Natuurlijk gaan we kijken,' zei vader Klaas. 'Toch, Geertje?'

Geertje keek naar Errisje.

'Natuurlijk gaan we,' zei ze. 'Geertje en ik gaan ons mooi maken.'

Op zondag trok de hele familie Lagerweij, inclusief Geertje, eropuit met de huifkar. De soldaten bleven achter. Ze waren te ziek om mee te gaan naar het feest. En anders begrepen ze wel dat het niet verstandig was om in de buurt van de piramide gesignaleerd te worden. Stel je voor dat een meerdere meende dat iemand die kan feesten, ook kan werken?

Geertje genoot met volle teugen. De piramide was hoger, groter en mooier dan ze had verwacht. Er waren trappen waarlangs mensen omhoog klommen. De top van de piramide was getooid met een houten bouwsel waarvan Geertje de naam maar niet te binnen wilde schieten. Het was allemaal van een Egyptische schoonheid die waarschijnlijk alleen door mensen werd herkend die zelf in dat betoverend mooie land waren geweest. En dat was niemand, behalve commandant Marmont en zijn divisiegeneraal Dumonceau. Die hadden daar oorlog gevoerd tegen de Arabieren op hun kamelen.

Geertje herkende de hooggeplaatste militairen meteen, maar François zag ze niet. Hij was er toch wel? Zijn vader zou hem toch wel hebben gewaarschuwd? 'Jongen, nu moet je toch echt komen, want er staat iets geweldigs te gebeuren. De piramide is af. De lijst die jij en je kompanen hebben gemaakt, is in de koker gestopt. Die koker hebben we in een gat laten zakken. Het is ook een beetje jouw piramide. Kom zo snel je kunt.'

'Hij is er niet,' zei Hannis naast haar.

'Hoe weet je dat?' Het hinderde Geertje dat hij haar gedachten kon raden.

'Hij zou zijn best hebben gedaan om je te vinden.'

'Hoe kom je daar nou bij.'

'Om wat hij over je heeft gezegd.'

Plotseling begreep Geertje dat ze dat nog altijd niet wist. Ze was vergeten ernaar te vragen. Ze had niet genoeg aangedrongen. Alle geschikte momenten om het uit Hannis te trekken, waren verstoord. Nu ging ze het horen. 'Wat zei hij dan?'

Zonder haar aan te kijken, herhaalde Hannis een voor een de woorden die hij uit de mond van François had gehoord: 'Weet je, Hannis, ik vind die Geertje het leukste meisje van de hele wereld.'

'Zei hij dat echt?'

'Nou, nee, eigenlijk niet.'

De teleurstelling boorde zich een weg naar Geertjes ogen. Ze moest haar best doen om de tranen weg te knipperen. 'Wat zei hij dan?'

'Hij zei gewoon dat hij je een grappig grietje vond.'

Het klonk een stuk minder. Maar het was voor Geertje

genoeg. Ze keek naar het spetterende vuurwerk en dacht aan de generaalszoon met zijn schitterende toekomst.

Naast haar ging Hannis mompelend verder: 'Jammer dat het niet kan.'

'Wat kan er niet?'

'Dat was wat François zei: jammer dat het niet kan.'

'Wat zou er dan volgens François niet kunnen?'

'Dat begrijp je toch wel? Jij en hij samen! Dat vinden zijn ouders nooit goed.'

Het duizelde Geertje. Als ze goed begreep wat Hannis haar probeerde te vertellen, vond François haar aardig. Zo aardig dat hij het jammer vond dat het nooit iets tussen hen zou kunnen worden, omdat zijn ouders dat niet zouden goedkeuren. Wisten de Dumonceaus dan niet dat de tijden veranderden? Dat alle burgers in de Bataafse Republiek dezelfde rechten hadden? De adel werd afgeschaft. Een prins van Oranje kon worden afgezet. Afkomst telde niet meer. Dat kon wat haar betreft maar één ding betekenen: haar eigen miserabele afkomst stond haar niet in de weg. Ze mocht zichzelf toch wel een weg omhoog uit de misère dromen?

Ver van waar zij stonden, tussen de duizenden toeschouwers, schoven de hoge heren met hun hoge dames aan. Er waren lange tafels gedekt. Geertje keek naar de stijf gesteven jurk die ze van Errisje had gekregen. Wat gaf het dat de jurk haar een paar maten te groot was? Het was de mooiste jurk die ze ooit had aangehad. Maar hij gaf haar nog geen toegang tot de betere kringen die aan het banket zaten. Hoe groot Geertjes verlangen ook was, de weg daarnaartoe leek haar langer dan ooit.

Toen ze genoeg hadden van het toekijken naar hoe anderen feestvierden, reden ze terug naar de boerderij. Daar was genoeg te doen.

'Ik ben er trots op dat ik een boer ben,' zei Hannis. 'Wij doen tenminste zinvol werk.'

Geertje begreep wat hij bedoelde. Terwijl de soldaten hun verveling moesten verdrijven met het bouwen van zoiets nutteloos als een piramide, zorgden de boeren ervoor dat de burgers en de buitenlui te eten kregen.

'Jammer alleen dat ik er zelf nooit iets van terugzie,' besloot Hannis.

Zo vloog de tijd dat Geertje op de boerderij woonde voorbij. Ze genoot van het lekkere eten en van de aandacht die ze van alle gezinsleden kreeg. Maar na een poosje begon ze iets te missen. Ze wist niet eens goed wat het was. Was het de levendigheid van het marktplein? Was het moeder Maria? Op de boerderij voelde ze zich veilig. Maar tegelijk benauwde die veiligheid haar. Het leven bij Friedrich en Maria was onzeker, maar ook avontuurlijk. Als weesmeisje met een hondenshow kon ze onbeperkt dromen van een beter leven. Als boerendochter was er vooral: een zeker leven. Hoe meer ze dacht aan haar uitzichtloze leven op het marktplein, hoe meer ze begon te twijfelen. Ergens miste Geertje zelfs het schelden en tieren van Friedrich een beetje.

Hoe aardig Klaas, Errisje en hun zoons ook voor haar waren, ze waren niet haar vader, moeder en broers. Was ze dan toch Friedrich en Maria als haar eigen ouders gaan beschouwen?

De derde week leek nooit voorbij te gaan.

Halverwege de vierde week zei Errisje: 'Als je liever naar huis gaat, moet je het zeggen, hoor.'

Maar Geertje durfde het niet te zeggen. Het was het woord *huis* dat haar tegenhield. Ze had geen huis, geen thuis en ze wilde niet op heimwee worden betrapt. En ze wilde de familie Lagerweij niet tekortdoen.

's Nachts, in haar warme bed, dacht ze aan vluchten. Een vlucht weg van het boerenleven. Ze begreep er zelf niets van. Hoe kon ze aan iemand uitleggen dat de geborgenheid op de boerderij haar benauwde? Wat had Hannis ook al weer gezegd: je bent een wegloper. Misschien had hij gelijk.

Met het hanengekraai stond ze op. In de mooie jurk die ze van Errisje had gekregen, sloop ze naar beneden. Daar rook het naar houtvuur en naar brood. Geertje had het kunnen weten, Hannis' moeder was al op.

'Is het tijd om te gaan?' vroeg de vrouw begrijpend.

'Ja,' zei Geertje alleen maar.

'Het geeft niet, Geertje. Weet dat je altijd welkom bent. Als je even wacht, is het brood klaar. Ik zal wat spullen voor je inpakken. Je gaat dat hele stuk toch niet lopen? Hannis brengt je wel. Ik zal de slaapkop wakker maken.' En ze slofte de trap op naar boven.

Alle moeders waren hetzelfde. Omdat ze wisten wat je als meisje te wachten stond? Hard werken en zorgen dat je het anderen naar de zin maakt. En de vaders dan? Die wilden toch zeker dat hun kinderen in hun voetsporen traden? Ze moest Friedrich er eens naar vragen. 'Wat heeft u eigenlijk tot de mislukkeling gemaakt die u geworden bent? Waar zijn de voetsporen waarin ik zou kunnen treden?'

Hannis kwam geeuwend de trap af. 'Heb je genoeg van ons?'

Errisje kwam achter hem aan. 'Laat haar nou maar.'

Met een mand vol kaas, vlees en brood stond Geertje even later bij de deur. Voor een wegloper was dit het moeilijkste moment: woorden vinden voor het afscheid.

Hannis tilde een kist vol appels en pruimen achter op de kar. In de deuropening van de stal verschenen de zwijgende gezichten van Klaas, Wulfert en Jan.

Geertje bukte zich zodat Marie-Antoinette via haar schouders op de kar kon springen. Knakker rende blaffend in het rond.

'Knakker, ga maar!' riep Hannis.

Geertje keek Errisje vragend aan.

'Als Hannis het zegt, is het goed,' zei die.

'Knakker, kom!' riep Geertje naar het bibberhondje.

Meer viel er niet te zeggen. Een hand in de lucht. Dat was alles.

Zo kwam er een eind aan Geertjes leven als boerendochter.

1805

Winter

Terwijl de meeste soldaten het kamp verlieten, besloot Friedrich Schmidt te blijven.

'Waar moeten we anders heen?' verklaarde Maria zijn keuze.

'De mannen die blijven, hebben ook spullen nodig,' vulde Friedrich haar aan.

'Misschien wel meer dan anders,' zei Geertje. 'Zoals warme kleren.'

Dat had ze beter niet kunnen zeggen. Er was een strijd rond de levering van winterjassen geleverd en die was gewonnen door – het sprak eigenlijk voor zich – Petrus Jodocus van Oosthuyse. Het imperium van de slimme koopman dijde langzaam uit. Na het hout, het brood, het vlees, het bier en de wijn had hij zich nu ook over de kleding ontfermd. En met succes, want hij had rechtstreeks van Dumonceau opdracht gekregen voor de levering van drieduizend wollen winterjassen. Bijna de hele Bataafse divisie was in die warme jassen weg gemarcheerd in de richting van Utrecht. De achterblijvers groeven zich letterlijk in. Ze overdekten hun tenten met planken en bedekten die met plaggen waardoor ze steeds meer gingen lijken op kleine nakomelingen van de grote piramide.

Ook al mopperde hij onafgebroken op de soldaten, Friedrich slaagde er wonderwel in om hun zijn geurwaters, scheergerei en zepen aan te smeren. Misschien was dat wel omdat het de enige tak van handel was waar Van Oosthuyse zich niet mee bemoeide.

Geertje bemoeide zich met niemand. Ze voerde haar hondenshow op voor wie hem maar wilde zien. Het viel niet mee er iets spectaculairs van te maken. Thor was alleen maar in beweging te krijgen als hij werd geschopt en dat vertikte Geertje. Marie-Antoinette sloofde zich geweldig uit, maar kwam niet echt uit de verf naast Knakker die zelden begreep wat de bedoeling was. Geertje miste Vos. Bijna elke dag ging ze bij het hondengrafje kijken. Ze hield het vrij van herfstbladeren en ook van hondendrollen sinds Marie-Antoinette de rare gewoonte had ontwikkeld om op het grafje haar behoefte te doen.

Zo ging de winter in het legerkamp voorbij.

Er waren dagen dat Geertje niet aan Hannis dacht. Maar elke dag dacht ze aan François.

Op de dag van Geertjes terugkeer had Friedrich haar, na het in ontvangst nemen van de etenswaren, apart genomen en gezegd dat ze een geweldige kans was misgelopen. Nee, niet door Hannis een blauwtje te laten lopen, maar door de oudste zoon van boer Lagerweij te negeren. 'Als ik je een welgemeend advies mag geven,' zei Friedrich op een samenzweerderige toon, 'leg het dan aan met de broer van die Hannis, hoe heet hij ook al weer?'

'Wulfert.'

'Die ja. Je moet weten dat het onder boeren gebruikelijk is dat de oudste zoon de hoeve krijgt. Zijn broertjes hebben het nakijken. En je begrijpt dat zijn eventuele zusjes het zelf maar moeten uitzoeken. Die hebben maar één kans en dat is...' Hij wachtte even om Geertje in de gelegenheid te stellen om antwoord te geven. Die liet hem in de waan dat ze geen idee had wat meisjes te doen stond, waardoor Friedrich triomfantelijk kon doorgaan met: '... een voordelig huwelijk afsluiten. En dat geldt straks ook voor jou. Onthoud dat goed. Een verstandige meid heeft maar één doel voor ogen, en dat is... omhoog trouwen.'

'Ik trouw heus niet om jou een plezier te doen,' had ze hem toegebeten. En ze stak haar tong naar hem uit. Nu ze bijna dertien werd, was ze lang niet zo bang meer voor haar pleegvader.

Toen daalde de temperatuur in het kamp ver onder het vriespunt. Geertje lag te bibberen onder haar versleten deken. Niet ver bij haar vandaan hoorde ze Friedrich schelden op de kou, op het kamp, op de Fransen, maar vooral op haar. Ze had niet genoeg hout gehaald! Ze had het vuur laten uitgaan! Friedrichs gemopper en de kou dreven haar het bed uit.

In plaats van de bosrand op te zoeken, dwaalde ze door het verlaten soldatenkamp. Marie-Antoinette en Knakker liepen snuffelend voor haar uit. Bijna alle tenten waren meegenomen, maar van de eigen bouwsels stond nog veel overeind. Geertje stak haar hoofd om de hoek van een deur en ontdekte een stapel kranten. Oude kranten. In het donker van het schuurtje liet ze haar ogen langs de kolommen glijden.

In ondertrouw zijn: Johannes Smit en Amalia Tulp. Appinge-dam, 26 september 1804.

–

De berichten dat er in Malaga een aardbeving zou hebben plaatsgevonden, worden van alle kanten bevestigd. Op deze rampspoedige plaats woeden drie rampen tegelijk: het beven

*van de aarde gaat gepaard met gebrekkig levensonderhoud en
het uitbreken van allerlei ernstige ziekten.*

–

*In Frankrijk viert de familie Bonaparte de geboorte van de
kleine Napoleon Lodewijk. Deze op 11 oktober geboren nieuwe
loot aan de stam is de tweede zoon van Lodewijk Bonaparte, de
broer van keizer Napoleon. Samen met zijn oudere broer Napoleon Charles die een paar dagen eerder twee jaar werd, zijn de
jongens volgens kenners de enige wettige opvolgers van de grote
keizer. Tenminste, zolang deze zelf geen nageslacht heeft voort-
gebracht.*

Geertje vond vooral dat laatste een vreemd bericht. Volgens
haar hadden de kenners het bij het verkeerde eind. Afstam-
ming telde toch niet meer in het Franse Rijk? Ze verborg een
paar kranten onder de versleten soldatenjas die nog steeds de
geur van Vos verspreidde. De rest van de kranten klemde ze
onder haar arm, die mochten het vuur in.

Buiten het schuurtje hoorde ze de twee honden ruziema-
ken. Maar ze was nog niet klaar binnen. Ze tilde de punt van
een stuk zeildoek op en ontdekte een stapel dekens. Zou ze…?
Nee, diefstal werd streng bestraft.

'Jongens, hou op!' schreeuwde ze door de houten wand.
Het hielp niet, er zat niets anders op dan naar buiten te gaan
en de honden tot de orde te roepen. Ze duwde de dichtgeval-
len deur open en zag Knakker en Marie-Antoinette in een flits
voorbijkomen. Knakker had iets in zijn bek dat hij probeerde
te beschermen tegen de hapgrage tanden van Marie-Antoinette. Vlak naast het schuurtje lag een hoop opgewaaid zand
die door Knakker flink was omgewoeld. Marie-Antoinette
deed zoiets nooit, die groef geen kuilen en gaten om dingen in te verstoppen. Waar bleven die rotbeesten nou? Al dat
geblaf trok maar de aandacht van de wachtsoldaten.

Plotseling kwam Knakker op haar afgerend en bleef vlak

voor haar staan. Hij deed zijn bek open en legde iets neer voor haar voeten. Ondanks alle vuiligheid herkende Geertje onmiddellijk wat het was. Eén keer eerder had ze zo'n blauw met oranje lint gezien, met zo'n grote gouden stervormige medaille eraan. De aanblik van het voorwerp deed haar verstijven. Alsof het zou verdwijnen als ze zich bukte om het op te rapen.

In de verte klonken stemmen. Er kwamen mensen aan. Snel bukte ze zich. Op hetzelfde moment schoot ook Marie-Antoinette naar voren. Maar Knakker was sneller. Hij raapte de medaille op en ging er weer vandoor. Marie-Antoinette spoot erachteraan.

'Wat moet je daar?'

Geertje draaide zich om en keek in het gezicht van twee soldaten. Ze liet hun de kranten zien.

'Is dat alles?'

Ze knikte instemmend. 'We hebben het koud.'

'We sterven allemaal van de kou, meissie. Dat wil nog niet zeggen dat we dan maar uit stelen moeten gaan.' De man strekte zijn armen naar de kranten uit. Geertje legde het stapeltje kranten op de vlakke handen.

'Sorry, meneer.'

'Je wilt toch niet zeggen dat je kunt lezen?'

'Jawel, meneer. Ik heb in een weeshuis gewoond, in Rotterdam. Ik mocht naar school.'

'Lees eens dan.' De handen met de kranten strekten zich weer naar haar uit.

En Geertje las.

Ter ere van de grote Napoleon verrijst op de heide tussen Zeist en Woudenberg een piramide van zand en zoden. De bouw vordert gestaag. Alle achttienduizend soldaten werken mee. Zij hebben 300 kruiwagens, 1154 schoppen, 1125 houwelen en 2000 zandzakken tot hun beschikking. Bij boeren in de omgeving zijn 40 wagens gevorderd. Omdat dit werk honge-

rig maakt, krijgt elke soldaat per dag: 1 pond brood van witte
tarwe, een half pond vlees, 62 centiliter jenever, 62 gram peul-
vruchten, 50 centiliter azijn en een portie brandhout.

Geertje keek op van de krant en vroeg: 'Kan ik nu gaan?'

'Ga door.'

'Dit gaat over ons. We willen meer.'

Geertje luisterde naar het geblaf in de verte. Zolang de honden maar niet terugkwamen, kon haar niets gebeuren. Ze boog zich weer over de krant.

Alle gewone soldaten krijgen één pakket per dag. Majoors
krijgen er drie. Kolonels vier. Naast de 18.000 soldaten wonen
in het kamp 1365 vrouwen, onder wie 455 wasvrouwen. Al met
al is de omvang van het kamp te Zeist al uitgegroeid tot een
stad die zich bijna kan meten met de stad Utrecht, waar 30.000
mensen wonen.

Het waren de soldaten zelf die haar onderbraken. 'Het is toch te gek voor woorden. Hier staat het zwart-op-wit. Het gewone soldatenvolk moet het stellen met een kwart van wat de kolonels krijgen. Die hadden de hele zomer pret voor tien. En nu zitten ze in hun luxe, warme pensions in Utrecht. De lafaards.'

'Mag ik nu gaan?' vroeg Geertje gehaast. Het geblaf van de honden kwam dichterbij.

'Vooruit, voor deze keer laten we je gaan. Maar we waarschuwen je: als je hier weer komt schuimen, pakken we je op.'

Geertje was al weg.

Vlak voor ze haar eigen kampementje aan de rand van het marktplein bereikte, kreeg ze eindelijk de medaille te pakken. Ze stopte hem diep weg in de zak van haar soldatenjas. De werkelijke betekenis van haar vondst kon ze zo snel niet beoordelen, maar ze was ervan overtuigd dat dit voorwerp haar leven ging veranderen.

Dekens

Friedrich wilde weten waar ze het lef vandaan haalde om met een stapeltje kranten aan te komen zetten.

'Voor het vuur,' was haar verweer. Meteen nam ze het zichzelf kwalijk dat ze haar leesvoer opofferde voor een beetje warmte. 'Echt, ik kon niets anders vinden. Je kunt toch niet van me verwachten dat ik de schuurtjes in het tentenkamp ga afbreken?'

'Dus je bent daar geweest?' Er klonk enige bewondering door in zijn stem. 'Wat zag je daar allemaal? Er was toch zeker wel iets bruikbaarders te vinden dan een paar kranten? Laat je zakken eens zien. Je verbergt iets voor me. Ik vertrouw je voor geen cent. Voor de draad ermee!'

Geertje verstijfde. 'Dekens,' zei ze plompverloren. 'Ik zag een heleboel dekens.'

De ogen van Friedrich vernauwden zich tot spleetjes. 'Waarom heb je er niet een paar meegenomen?'

'Dat is diefstal.'

Friedrich maakte er verder geen woorden aan vuil, maar Geertje zag aan zijn gezicht dat de dekens hem niet loslieten. En ze begreep hem, het was een onverteerbaar idee dat ze kou moesten lijden terwijl op een steenworp afstand een stapel warme dekens lag opgeslagen.

Die nacht kon Geertje moeilijk in slaap komen. Ze had zich zo stijf mogelijk in haar soldatenjas gewikkeld. Hoewel de gouden medaille diep in de zak van haar soldatenjas verstopt zat, zag ze hem haarscherp voor ogen: de stervorm, de beeltenis van de keizer, het lint. Ze dacht terug aan die vreemde dag in september, de dag dat generaal Dumonceau de versierselen kreeg omgehangen. De tafel met de loden koker. De rol perkament met de namen. François, Hannis, de honden. Gekrakeel. Geblaf. Geschreeuw. De medaille in het zand. Haar eigen handen die het voorwerp opraapten en in de tent op tafel legden. Ze had een vergissing begaan. Ze had gedacht Dumonceau van dienst te zijn door hem zijn medaille terug te bezorgen. Maar die had hem gewoon weer teruggedaan in de koker waarin hij hoorde te zitten. Zijn eigen medaille had de generaal nooit teruggekregen omdat Vos het ding had gestolen en in het zand had begraven. Was het zo gegaan?

'Heb je het koud?' Plotseling daalde er iets op haar neer. Zwaar en warm drukte het op haar. De handen van Maria stopten haar in. 'Zo beter?'

'Heerlijk,' mompelde Geertje. Hoe slaperig ze ook was, ze wist meteen dat Friedrich op pad moest zijn geweest. Het kon haar niets schelen. Nu hoefde ze het nooit meer koud te hebben. Eindelijk kon ze slapen. De hele nacht, desnoods de hele dag. De dekens zouden de dag voor haar verborgen houden.

Ze werd wakker van geschreeuw. De dekens waren van haar afgegleden. Ze trok de soldatenjas om zich heen, die was op een vreemde manier omhoog geschoven. Had ze zo liggen draaien in haàr slaap?

'Waar is die meid?' De stem van Friedrich. Maar er waren meer stemmen. Soldatenstemmen.

'Geen bezwaar als we nog even verder zoeken?'

'We hebben haar gisteren betrapt. Ze is toch jouw dochter?'

'Ik weet van niks.' Dat was Friedrich weer. 'Ik heb het veel te druk om dat kind de hele dag in de gaten houden. Wat zou ze dan gestolen moeten hebben?'

'Dekens! Een hele stapel.'

'Ik heb geen deken gezien.'

'En wat zijn dat dan voor dingen die daar op bed liggen?'

'Vodden, dat zie je toch? Die heb ik ergens gevonden. Je wilt toch niet beweren dat ik uit stelen ben geweest? Ik ben een goudeerlijke koopman. Ik verdien mijn geld met het verkopen van schoensmeer. Als ik zo naar je schoenen kijk, kun je wel wat gebruiken. Maria, kijk maar niet zo geschrokken. Deze mannen doen hun werk. Er is niets aan de hand.'

De bezweringen van Friedrich hielpen niet. De soldaten drongen door tot het hoekje waar Geertje sliep. Ze trokken de dekens van haar af. Rillend stond ze op van het strobed.

'Hebbes! Dit zijn toch echt de dekens die eerst in het schuurtje lagen. Beken nu maar, we hebben je sporen gevolgd.'

Wat een idioten! Konden die mensen niet eens sporen herkennen? De voeten van Friedrich waren toch echt twee keer zo groot als de hare. Het moest niet al te veel moeite kosten om de schuld in zijn schoenen te schuiven. Langs de soldaten heen keek ze hem vragend aan. Hij wierp haar een dodelijke blik toe. Ze begreep de boodschap. Ze moest schuld bekennen. Een meisje zouden ze niet arresteren en in het gevang gooien. Ze wilde haar mond al opendoen om schuld te bekennen, om te vertellen dat ze het zo verschrikkelijk koud hadden, dat ze de dekens alleen maar een poosje hadden geleend, voor zolang de vorst aanhield, dat ze ze dan weer eerlijk terug zouden brengen. Maar Maria was haar voor.

'Friedrich, wees een man,' beet Maria haar man fluisterend toe.

De soldaten draaiden zich om en keken Friedrich afwachtend aan. Die haalde schuldbewust zijn schouders op en begon een meelijwekkend verhaal over zijn kleine meid die ziek van de kou lag te klappertanden en dat hij toen – speciaal voor haar – een paar vodden uit het kamp had meegenomen.

De soldaten trapten er niet in.

'Een paar vodden, nou ja. Met de stapel die je hebt meegenomen, kun je een heel bataljon verwarmen. Dit is handel.'

Friedrich ontkende in alle toonaarden. Maar het hielp hem niet. Hij werd op staande voet gearresteerd en meegenomen.

'Het is die meid!' gilde hij. 'Het is allemaal haar schuld. Ze groeit op voor galg en rad. Ik heb altijd al gezegd dat ze niet deugt, maar mijn vrouw moest haar zo nodig aannemen.'

Maria huilde bittere tranen en smeekte de soldaten hem vrij te laten, hem tenminste een eerlijke kans te geven, hem niet nodeloos op te sluiten. Geertje hoorde het onbewogen aan. Het was Friedrichs verdiende loon dat hij werd opgepakt. Moest ze hem soms dankbaar zijn voor het feit dat hij haar uiteindelijk had vrijgepleit door de schuld op zich te nemen?

Terwijl het schelden en tieren van Friedrich langzaam

verstomde, droogde Maria haar tranen en zei: 'Ze laten hem vast weer snel gaan. We moeten er samen maar het beste van maken. Heb je geen honger? Je hebt een gat in de dag geslapen.'

Geertje at gulzig van de bloempap die Maria haar voorzette. Ze dacht aan de kostbare versierselen van het Erelegioen in haar zak. De medaille zou haar geluk brengen, al wist ze nog niet goed hoe. Voorzichtig liet ze haar hand in de zak van haar soldatenjas glijden. Niets! De andere zak. Ook niets! De twijfel greep haar bij de strot. Waar was de medaille gebleven? Haar bed! Hij moest uit haar zak gegleden zijn. Maar hoe ze ook zocht in de bak met stro, ze vond hem niet. Plotseling wist ze het zeker, Friedrich had haar van de medaille beroofd. Huilend van woede liep ze naar Maria en wierp het haar voor de voeten: 'Hij heeft me bestolen! Ik had het ding eerlijk gevonden. En ik heb hem nodig. Dan komt alles weer goed, begrijp je?'

Maria keek haar niet-begrijpend aan. 'Wat heb je dan gevonden?'

Het klonk oprecht. Ze wist van niets. Maar Geertje bleef kwaad. 'Vertel dan wat je wél gezien hebt. Wat heeft Friedrich gedaan terwijl ik sliep?'

Maria dacht diep na. 'Hij scharrelde rond, zoals altijd,' zei ze toen. 'En hij is er nog even opuit geweest. De markt op.'

Geertje stampte hard met haar blote voet op de koude grond. Friedrich was haar te slim af geweest. Het kostte haar moeite om zich in te houden. Waarom stond Maria er zo slachtofferig bij? Waarom hield ze Friedrich altijd en eeuwig de hand boven het hoofd?

'Hij deugt niet,' zei Geertje beschuldigend. 'Dat weet je best. Waarom ben je eigenlijk met hem getrouwd? En waarom moest je mij er zo nodig bij halen? Had me lekker laten zitten in dat kindertehuis. Ik had het er goed. Vroeg naar bed. Vroeg op. Hard werken. Veel slaag. Maar ik mocht tenminste naar school. Zolang ik daar was, had ik een toe-komst. Tot jullie kwamen.'

Buiten adem geraakt van het stampen en het schelden, liet Geertje zich op haar strobak zakken. Maria kwam naast haar zitten en legde een arm om haar heen.

'Het was zo'n aandoenlijke man,' zei ze zacht. 'Hij had me nodig. Als een leeuw heeft hij gevochten om de Fransen tegen te houden. Met zijn bataljon lag hij aan de noordkant van de Rijn. Aan de overkant lagen de Franse troepen. Friedrich dacht dat zijn leger onoverwinnelijk was. Hoe zouden die domme Fransen ooit in staat zijn een brede rivier over te ste-ken? Zich in wankele bootjes storten met de kans door een regen van kogels te worden afgemaakt? Ze zouden wel gek zijn!

Toen begon het te vriezen. Wat nooit eerder was gebeurd, gebeurde: de Rijn vroor dicht. Het werd één grote tegenslag. De Fransen waren niet te houden. Over de bevroren rivier stortten ze zich op Friedrichs bataljon. Hij heeft dat nooit kunnen verkroppen. Daarom is hij het leger uitgegaan en is hij voor zichzelf begonnen. Hij wilde graag een gezin stichten. We kwamen elkaar tegen op de kermis in Rotterdam. Daar, in de draaimolen, heeft hij me al zijn dromen verteld.'

Een nieuwe lente

Friedrich was, zoals later bleek, op de Hazenberg in Utrecht terechtgekomen. Hij moest voor de schepenbank verschijnen. De eerste keer dat Maria naar Utrecht vertrok om hem in de gijzelkamer te bezoeken, kwam ze terug met afschuwelijke verhalen over de vochtige kerkers onder het stadhuis van Utrecht. Friedrich was er slecht aan toe geweest. 'Als er geen wonder gebeurt, kom ik nooit meer vrij,' had hij gejammerd. 'Moet ik hier nu zo eindigen? Nooit in mijn leven heb ik iemand kwaad gedaan. Alsjeblieft, help me.'

Een paar weken later was hij veroordeeld, want toen Maria hem voor de tweede keer ging opzoeken, was hij uit de Hazenberg verdwenen. 'Naar het verbeterhuis,' zeiden de bewakers. 'Daar komen alle sjoemelaars terecht die niet slecht genoeg zijn voor het echte werk.'

Zo begon de nieuwe lente in het kamp van Zeist zonder

Friedrich. Eerst kwamen de kwartiermakers terug, gevolgd door de voerlui met karrenvrachten vol tenten die gedurende de wintermaanden in de Utrechtse Geertekerk waren gerepareerd. Geertje wachtte gespannen af of ook de hogere militairen hun intrek weer zouden nemen in de luxe tenten. Ze dacht vooral aan divisiegeneraal Dumonceau. Wat zou ze doen als ze, net als vorig jaar, plotseling tegenover hem stond? In haar hoofd oefende ze zinnen als: 'Beste vader van François, ik moet u iets vertellen. Het gaat om die medaille die u bent kwijtgeraakt. Nee, niet dat ik hem heb, maar ik had hem wel. Hij lag ergens tussen het opgewaaide zand naast dat schuurtje achter uw tent. Het is vervelend om te moeten zeggen... Alstublieft, luistert u even. Het was heus niet de schuld van uw zoon. Het was Vos...' Het werd nooit een samenhangend verhaal. En Geertje begreep wel dat ze er niet mee aan hoefde te komen. Ze had het voorgoed verbruid bij de familie Dumonceau.

Met de soldaten kwam ook de drukte terug op het marktplein. Alle andere marketenters en zoetelaars richtten hun kramen weer in. Moeder Maria had haar handen vol met de soldatenwas. Nu stond Geertje er helemaal alleen voor. Ze probeerde haar act met de honden te combineren met de verkoop van snuisterijen. Maar voor geen van beide activiteiten was veel belangstelling.

Op een dag stond plotseling Petrus Jodocus van Oosthuyse voor haar kraam.

'Heb je misschien een lekker reukwatertje voor me?'

Geertje wist dat hij haar voor de gek hield. Om het kalende hoofd van de meester-koopman hing een wolk Parijse parfum. Als er iemand was die vanaf het allereerste begin Friedrich door had gehad, was het deze man wel. Geertje keek naar de gouden horlogeketting die uit Van Oosthuyses borstzakje hing.

'Nog iets van je vader gehoord?'

Geertje klemde haar lippen op elkaar. Die Jodocus moest niet denken dat ze zich door hem liet beledigen. Ja, ze was het kind van een sjacheraar. Nou en? Was zij daar een slechter mens door?

'Ik kom je een aanbod doen.'

Ook dat nog. 'Ik heb niks nodig.'

'Je kunt voor me komen werken op Geerestein. Ik heb iemand nodig in de bediening. Je krijgt een fatsoenlijk inkomen. Als je wilt, kun je morgen beginnen.'

Geertje geloofde er niets van. Wat voor poets probeerde hij haar te bakken?

'Ik begrijp het, je moet erover nadenken. Maar heus, dit is voor jullie de beste manier om deze hele ellendige toestand te overleven. Ik probeer alleen maar te helpen.'

Helpen? Wat was dat voor gekkigheid? Niemand was eropuit om een ander te helpen zonder er zelf beter van te worden.

'Bespreek het maar met je moeder. Als je het doet, zorg ik voor een behoorlijk kostuum. Je krijgt een mooie jurk, een wit schort en nieuwe schoenen. We krijgen vaak hoge gasten, dus je moet er netjes uitzien.'

'Ik denk niet dat ik dat kan,' piepte Geertje. Ze begon er plotseling iets in te zien, in het leven op een kasteel.

'Alles kan, Geertje,' zei Van Oosthuyse beslist. 'Als je het maar echt wilt. Je moet in jezelf geloven.'

Hoe aanlokkelijk het voorstel Geertje vanwege de mooie kleren ook leek, ze zweeg erover tegen Maria. Dagenlang fantaseerde ze over wat het leven op Geerestein voor haar zou kunnen betekenen: warmte, waardering, een leven tussen mensen met goede manieren.

Maar ze wilde haar moeder niet nog een keer in de steek laten.

Moeder Maria zelf gaf de doorslag.

Na een lange dag hard werken in de wasserij kwam ze thuis met rauwe handen en roodomrande ogen. Samen maakten ze de balans op van hun karige bestaan. Geertje moest bekennen dat ze die hele dag geen cent had verdiend. Ze had de laatste bonen uit de zak gehaald en er soep van gekookt. Het beetje geld dat Maria als wasvrouw verdiende was niet genoeg om de kost te verdienen voor hun tweeën. En het was zeker niet genoeg om één keer per week per post- koets naar Utrecht te reizen en Friedrich de spullen te bezor- gen waar hij om vroeg: tabak, drank, zoetigheid.

'We stoppen met de handel,' zei Maria. 'Mijn wasbaas kan extra hulp gebruiken. Als je morgen met me meegaat, zal ik je aan hem voorstellen. Hij lijkt een bruut, maar als je doet wat hij zegt, kan hij echt wel aardig zijn.'

Geertje dacht aan het muntstuk dat nog altijd tussen de zool van haar rechterschoen verborgen zat. Was dat ene muntje in staat hun een beter leven te geven? Nee, dit was niet het goede moment.

'Dan heb ik een veel beter plan,' zei Geertje en ze vertelde over de functie die Van Oosthuyse haar in het vooruitzicht had gesteld.

'Wanneer heb je hem dan gesproken?' wilde Maria weten.

'Gisteren,' loog Geertje.

'Ik vind het een geweldig plan,' zei Maria. 'Het lost al onze problemen in één keer op.'

'Ik dacht dat je me misschien zou missen,' zei Geertje.

'Je bent nu groot genoeg om op eigen benen te staan.'

'Ik zal je missen.'

'Ik jou ook.'

'En de honden.'

'Zorg dat je je best doet. Netjes praten. Niet boeren en geen scheten laten waar andere mensen bij zijn. En niet je snot afvegen met de rug van je hand.'

'Ja, moeder.'

'Kom eens hier, dan knip ik je nagels. En ik zal ook de klitten uit je haar halen. We gaan een echte dame van je maken.'

Geertje zei niets. Ze wilde maar al te graag een dame worden, en dus liet ze Maria begaan.

De volgende ochtend liep Geertje in alle vroegte over de verlaten heide naar het chique buitenhuis in Woudenberg. Het had haar de grootst mogelijke moeite gekost om de honden te beletten met haar mee te gaan. Huilend had ze ze vastgebonden aan de kar.

Hoewel ze in de verte al snel de contouren van Woudenberg herkende, met tussen de bomen de kerktoren en het buitenhuis, week ze niet af van de gebaande weg. Zolang er mensen in de buurt waren, kon haar niets gebeuren. In de bossen hielden deserteurs en ander gespuis zich schuil.

Ze haalde opgelucht adem toen ze veilig en wel op Geerestein was aangekomen. Het hek stond open. Niets stond haar in de weg om over de oprijlaan naar de hoofdingang te lopen, de bordestrappen te betreden en haar komst te laten aankondigen bij de edele heer Van Oosthuyse. Met fiere passen liep ze over het knisperende grind. Net toen ze een paar treden van de trap genomen had, klonk het op barse toon: 'En wat ben jij van plan, als ik vragen mag?'

Geertje keek om zich heen. Toen zag ze onder haar, bij de muur van het buiten, een tuinman die met een snoeischaar in de hand bezig was de klimop te snoeien.

'Ik word verwacht,' antwoordde Geertje dapper.

'Als wat?'

'Nou, als...' Geertje moest het antwoord schuldig blijven.

'Omlopen, trapje af, bediendeningang, melden bij Houkes, de koetsier, die regelt hier de zaken met het plebs.'

Met een beteuterd gezicht keerde Geertje terug naar de realiteit. Van haar grandioze entree door de hoofdingang kwam niets terecht.

Ze vond de koetsier achter het grote huis voor de geopende deuren van de stallen. Op een weinig zachtzinnige toon gaf hij een stallenjongen instructies voor het schoonmaken van een open rijtuig. 'Boenen, zeg ik. Boenen. Dat ding moet glimmen.' Geertje bleef aarzelend wachten tot de koetsier haar zou opmerken. In haar hoofd oefende ze de volzinnen die ze zou kunnen gebruiken om zich te introduceren. Maar toen de man die Houkes heette haar eindelijk aankeek, zei ze alleen maar: 'Ik zoek werk.'

'Niemand nodig.'

Dat was alles. Geertje moest met iets beters komen. 'Meneer Petrus Jodocus van Oosthuyse,' begon ze, en ze gebruikte met opzet zijn volledige naam om indruk te maken, 'heeft het me zelf voorgesteld.'

'Maak dat je grootmoeder wijs.'

'Maar het is echt waar!'

'Kom op, wrijven! De was moet warm worden, anders wordt hij niet vloeibaar.' Houkes had zich alweer tot de staljongen gewend.

Geertjes zaak was verloren. Ze droop af.

Toen klonk het plotseling achter haar: 'Of heet je soms Geertje Schmidt?'

'Wie? Ik?' Geertje kon niet geloven dat iemand anders, zomaar iemand die haar niet kende, haar bij haar naam noemde en dat dat een verschil zou kunnen maken. Maar het maakte een groot verschil, want de man vervolgde met: 'Had dat dan meteen gezegd. Meneer Petrus heeft het over je gehad. Niet dat ik begrijp wat hij in je ziet, maar je hebt kennelijk een kans verdiend. Nou, kom maar mee. Ik ga je bij Tanneke brengen, die zal je wegwijs maken in de huishouding.'

'Ja, meneer,' zei Geertje. Ze had even de neiging om voor de koetsier te buigen nu ze dan toch eindelijk haar intrede deed in de betere kringen.

Hoge gasten

In haar keurige dienstmeidenkostuum leerde Geertje alles wat een meid moest kunnen: bedden opmaken, strijken, zilver en koper poetsen, tafel dekken, afruimen en de vaat doen. Voor het eerst van haar leven sliep ze in een echt bed in een meidenkamertje op zolder. Ze voelde zich een hele dame. Haar rokken ruisten dan wel niet als de rokken van de welgestelde dames, maar ze had een stijf gesteven, kraakhelder wit schort voor, dat haar in haar eigen ogen het aanzien gaf van een prinses uit een sprookje. Over haar rode haar, dat glad en strak om haar hoofd gebonden zat, droeg ze een wit kapje.

'Dat staat me niet,' had ze tegen Tanneke gezegd, die haar hielp aankleden.

Ook al bedoelde Tanneke het misschien niet zo letterlijk als ze het zei: 'Je begrijpt toch wel dat één enkele rode haar op de rand van een bord genoeg is om jou de kop te kosten?' maar haar antwoord joeg Geertje de stuipen op het lijf.

Pas de vijfde dag van haar verblijf op Geerestein kreeg Geertje haar weldoener te zien.

'Je mag opdienen,' zei Tanneke die dag. 'Meneer heeft naar je gevraagd. Doe goed je best. Stel hem niet teleur.'

Voetje voor voetje schuifelde Geertje met de soepterrine de eetzaal binnen, zette de schaal op tafel, deed de deksel van de schaal, schepte op, legde de deksel terug op de schaal en bleef rustig staan om te horen of meneer nog iets van haar bliefde. Er kwam geen reactie. Dat verontrustte Geertje zeer. Ze deed het toch wel goed? Ze keek naar de man die luidruchtige slurpgeluiden maakte bij het oplepelen van zijn soep. Toen keek hij haar plotseling zijdelings aan en zei: 'Prima.

Uitstekend. Je ziet er keurig uit. Je gedraagt je onopvallend. Het is precies zoals het hoort. Je bent er wel, maar je bent er niet. Wat een metamorfose heb je ondergaan. Je bent een ander mens geworden. Had ik het je niet gezegd? Iedereen kan bereiken wat hij wil. Kijk naar mij. Ik ben ook met niets begonnen. En nu...' Meer verstaanbaars volgde er niet, want meneer vond zijn soep toch iets belangrijker dan Geertje die nog altijd naast hem stond.

'Psst,' klonk het vanuit de gang.

Geertje glipte de eetkamer uit.

'En?' wilde Tanneke weten.

'Ik ben een ander mens geworden,' zei Geertje.

Tanneke glom van trots. 'Tijd voor de volgende stap,' zei ze. 'Morgen krijgen we hoog bezoek.'

Klam van het angstzweet en bibberend van de zenuwen ging Geertje de volgende dag aan het werk. Dat had alles te maken met de mededeling van Tanneke dat de familie Dumonceau de lunch kwam gebruiken. Hakkelend had Geertje gevraagd wie er dan precies kwamen. Op die vraag kon Tanneke helaas geen antwoord geven.

Terwijl ze in de weer was met het wassen van kersen en het schillen van asperges luisterde Geertje naar de geluiden die tot de keuken doordrongen. Ze hoorde voetstappen, stemmen en het slaan van deuren, maar ze kreeg niemand te zien. Even was ze bang dat Tanneke haar gedurende de hele maaltijd in de keuken aan het werk zou houden, maar plotseling klonk het afgemeten: 'Geertje! Spuitwater! Witte wijn in de koeler! Je haar!'

Geertje verstopte de ontsnapte rode pluk onder haar kapje en ging aan de slag. Ze zette de koeler met de wijnfles en de fles spuitwater op een dienblad en liep ermee de eetkamer binnen. Daar zaten ze: meneer Petrus Jodocus, meneer en mevrouw Dumonceau én... François!

Met het wiebelende dienblad in haar handen schoof Geertje voetje voor voetje in de richting van de grote ronde tafel. François keek niet op of om. Geertje ving flarden op van het gesprek.

'En toen heb je dus zomaar ergens op de hei liggen slapen?'

'Wat moest ik anders? Het was al na middernacht.'

'Ik vind het ongehoord. Waarom was je dan eigenlijk zo laat?'

'Ik was mijn hoed kwijt.'

'Agnes, laat die jongen nou maar.'

Geertje was er wel, maar ze was er ook niet. Precies zoals meneer Petrus het had gezegd. Ze serveerde de drankjes uit en werd door niemand opgemerkt.

Op de terugweg naar de keuken wierp ze een snelle blik in de gangspiegel. Het was geen wonder dat François haar niet herkende: ze was werkelijk iemand anders geworden.

'Tijd voor de soep!'

Opnieuw schuifelde Geertje de eetkamer binnen, nu met de soepterrine in haar handen. Om binnen het blikveld van François te komen, liep Geertje een half rondje om de tafel en zette de terrine neer tussen François' ouders.

'Soep, meneer... eh... mevrouw,' hakkelde Geertje. Plotseling wist ze niet meer zo zeker wie ze als eerste moest opscheppen. Ze dompelde de opscheplepel onder in de soep en haalde hem op. Terwijl ze de volle lepel naar het bord van meneer liet zweven, hij was tenslotte de belangrijkste persoon aan tafel, zocht ze de blik van François. Maar hij zag haar niet.

Plotseling werd Geertjes pols tegengehouden door de uitgestrekte wijsvinger van François' vader. 'Dames gaan voor,' zei hij niet onvriendelijk.

Met een slingerbeweging verplaatste Geertje de volle soeplepel naar het andere bord, dat van de mooi opgemaakte stiefmoeder. Ze ging het halen. Ze mocht niet morsen. Maar de lepel was vol, te vol. Een klein beetje soep gutste al over de rand voor Geertjes lepel het soepbord had bereikt. Een paar druppels nattigheid en een piepklein stukje asperge belandden naast het bord op het geborduurde tafellaken. Met een gilletje sprong François' stiefmoeder, die zoals Geertje had begrepen Agnes heette, op van tafel om haar japon aan een nauwkeurig onderzoek te onderwerpen.

'Geertje!' zei meneer Petrus Jodocus bestraffend.

'Neemt u mij niet kwalijk,' zei Geertje zo beleefd mogelijk. Zo snel ze kon maakte ze haar werk aan tafel af. Niet opvallen. Niet herkend worden. Wegwezen!

Maar voor ze de vier borden had volgeschept, klonk plotseling de stem van François. 'Wat doe jij hier?'

In de keuken verbeet Geertje haar tranen. 'Ik heb het helemaal verknald,' zei ze tegen Tanneke.

Tanneke liet haar. Ze hoefde niet terug de eetkamer in. Geertje roerde in de pannen en hield een oog op het vlees in de oven terwijl Tanneke heen en weer liep. Ze had tijd genoeg om na te denken over de vergissing die ze had gemaakt. En dat was niet het morsen van een beetje soep, maar de domme fantasie dat ze zelf tot de betere kringen was gaan horen nu ze op een deftig buitenhuis woonde. Ze was personeel. En personeel was onzichtbaar.

Plotseling stond ze toch weer oog in oog met François. Hij kwam de keuken in en zei: 'Mijn vader wil graag nog een kopje koffie voor hij teruggaat naar de oefeningen.'

'Geertje komt het zo brengen,' zei Tanneke terwijl ze naar de koffiekan liep die op het randje van het fornuis stond om warm te blijven.

'Ik wacht wel even,' zei François. Heel even keek hij Geertje aan. Toen strekte hij zijn hand uit naar de druiven en stopte er iets tussen.

De obelisk

Met het briefje dat ze tussen de druiven had gevonden in haar hand geklemd, wandelde Geertje tegen de avond over de winderige heide. Ze had haar ogen niet kunnen geloven toen ze las wat François in zijn zwierige handschrift geschreven had: 'Bij zonsondergang op de Pyramide.' Ze had Tanneke in vertrouwen moeten nemen, want anders was het nooit gelukt om weg te komen.

Aan de voet van de piramide gekomen, begon Geertje om zich heen te kijken of ze François ergens zag. Maar tussen de weinige andere bezoekers herkende ze hem niet. Ze zou boven op hem wachten. Langzaam liep ze trede voor trede omhoog. Ze raakte sneller vermoeid dan ze had gedacht. De treden waren hoog. Toen ze eindelijk helemaal bovenaan stond, duurde het lang voor ze op adem was. Nog steeds geen spoor van François. Hij had haar toch niet voor niets naar deze plek laten komen? Ze nam de tijd om zich op de omgeving te oriënteren. Die toren daar in de verte, was dat niet de Domtoren van Utrecht? Hoe zou het met vader Friedrich gaan? Zou hij al verbeterd zijn? Ze liet haar blik van de soldatenverblijven naar het marktplein van de marketenters gaan. 'Waar blijf je nou?' klonk het plotseling van ergens boven haar. 'Ik ben hier?'

'Waar is hier?' Ze zag hem al. Hij stond boven op de houten obelisk en stak zijn hoofd uit een kijkgat. 'Ik kom!'

Zo snel ze kon holde ze alle treden op in het binnenste van de obelisk. En zo stond ze een paar tellen later dan toch voor François.

'Mooi, hè?' zei hij met een weids gebaar naar het landschap wijzend.

'Ja, mooi,' zei Geertje. Wat kon ze anders zeggen? Ze hapte naar adem en zei: 'Ik ben blij je te zien.' En dat was al meer dan een meisje eigenlijk tegen een jongen van haar eigen leeftijd kon zeggen.

'Wist je dat de piramide wel 36 meter hoog is? De obelisk is 13 meter hoog, dat maakt samen bijna 50 meter. Ze hebben er 27 dagen over gedaan.'

Zo waren jongens, die klampten zich vast aan de feiten.

'Hoe gaat het met je?' vroeg Geertje.

'Goed,' antwoordde François. 'Ik ben bevorderd. Nu ben ik de enige onderluitenant bij de garde dragonders die nog maar net vijftien is.'

Geertje had geen idee hoe hoog dat was. Maar aan de kleren van François kon ze zien dat hij in rang gestegen was. De jongen was onberispelijk gekleed in blauw en wit. 'Is je vader nog boos?' Het was een van de dingen die Geertje zo snel mogelijk moest weten. Daar hing voor haar gevoel alles van af.

François knikte. 'Hij heeft het me nooit vergeven. Hij heeft zelfs geprobeerd om mijn promotie tegen te houden. Maar zijn collega's vonden dat ik er recht op had.'

Dus zo stond het ervoor.

'En jouw vader?' wilde François weten.

'Goed, hoor,' zei ze.

'Ik heb over hem gelezen,' zei François. 'Ik kwam zijn naam tegen in een lijst met processen-verbaal. Ze hebben hem naar een gesticht gestuurd. Ik vraag me af of er niet een manier is om hem daaruit te krijgen. Er zijn toch wel mensen die een goed woordje voor hem kunnen doen? Daar zijn de schepenen heel gevoelig voor. Heus, het zou hem helpen.'

Geertje was verbijsterd. François wist alles van haar en haar familie. Terwijl hij in het afgelopen jaar was gepromoveerd naar iets hogers, was zij gedegradeerd tot iets lagers: de dochter van een crimineel.

'Ach,' zei François, alsof hij haar gedachten kon raden, 'zo erg is het toch ook niet wat hij heeft gedaan? Jammer dat ik zelf niet kan blijven om je te helpen.'

Geertje voelde de warmte van de ondergaande zon op haar wangen. Hier stond ze, samen met de jongen die ze al een heel jaar lang niet uit haar hoofd kon zetten. Hij was er maar voor even, dan zou hij weer uit haar leven verdwijnen.

'Heb je nog altijd geen idee wat er vorig jaar is gebeurd met de onderscheiding van mijn vader?' wilde François weten.

Geertje schudde haar hoofd. 'Nee, geen idee. Ik denk dat Vos er met de medaille van je vader vandoor ging.' De rest van haar zin, over het verongelukken van het beestje, slikte ze in.

'Vos?'

'Ja, mijn hondje.'

'Hoe kom je daar nou bij? Het was Vos helemaal niet. Het was Knakker, dat rare beest van die boerenpummel, die liep rond met het grootkruis van de Legioensorde in zijn bek.'

'Dus daarom...' Geertje maakte alweer haar zin niet af.

'Ja, daarom wilde dat joch zo snel mogelijk van dat minkukelige hondje af. Zolang het leek of dat hondje bij jou hoorde, ging hij vrijuit. Zie je hem nog wel eens?'

'Dat hondje? Dat heb ik gehouden.'

'Ik bedoel die jongen, hoe heette hij ook alweer. Janus?'

'Hannis. Nee, ik zie hem nooit.' Geertje keek er wel voor uit om François te vertellen dat ze bij de familie Lagerweij op de boerenhoeve had gewoond. Of was François daar misschien ook al van op de hoogte?

'Nu wordt het echt oorlog,' zei François ineens.

'Ben je bang?' vroeg Geertje. Toen er geen antwoord kwam, keek ze even opzij naar het door de zonnegloed verlichtte gezicht. In haar hand voelde ze nog altijd het verfrommelde briefje. 'Schrijf je nog wel eens?' vroeg ze toen.

'Ik houd een dagboek bij. Over de piramide, over de manoeuvres en over...'

Geertje wachtte op wat er komen ging.

'... het land,' maakte François zijn zin af.

'Hoe lang blijf je?' vroeg Geertje.

'Misschien een paar dagen,' zei François. 'Ik zei toch al dat er oorlog komt. De Engelsen roepen al hun bondgenoten op om hen te helpen Nederland af te straffen. Het is beter daar niet op te wachten.'

'En de piramide dan? En het kamp? Het wordt toch precies weer zoals vorig jaar? Kijk maar,' ze wees naar de bedrijvigheid in de verte, 'alle soldaten zijn bezig om houten barakken te bouwen. Dat doen ze toch niet voor niets? Dat doe je toch alleen als je weet dat je voor minstens een paar maanden blijft?'

'Ja, dat is zo,' antwoordde François.

Geertje begreep wel dat een kersverse onderluitenant van de dragonders niet alles wat hij weet over de plannen van zijn leger tegen een meisje vertelt.

'Kom, we moeten gaan,' zei François. 'Het begint donker te worden.'

François liet haar voorgaan op de smalle trap naar beneden. Het leek Geertje dat het houten bouwsel een beetje uit het lood gezakt was. De obelisk zou toch niet zomaar kunnen omvallen? Opgelucht haalde ze adem toen ze weer buiten stond.

François schoot langs haar heen en begon in grote sprongen af te dalen, alsof hij er een wedstrijdje van wilde maken. Geertje volgde met moeite. De treden waren hoog en haar rokken hinderden haar.

Halverwege de groene piramide van gestapelde graszoden bleef François staan om haar op te wachten. 'Je ziet er goed uit,' zei hij plotseling. 'Ik ben blij dat het zo goed met je gaat.'

'Dank je wel,' zei ze. 'Ik heb veel geluk.' Maar eigenlijk wist ze zelf niet welk geluk ze bedoelde. Het geluk om op Geerestein te mogen werken? Het geluk om François opnieuw te ontmoeten?

'Ik loop een eindje met je mee,' zei François. 'Vannacht slaap ik weer in het kamp.'

Zwijgend liepen ze over de zandweg terug in de richting van Woudenberg. Tot ze in de verte Geerestein zagen liggen. Toen bleef François aarzelend staan en zei: 'Nou, dan ga ik maar. Het ga je goed.'

'Het ga je goed,' zei Geertje hem na. 'Misschien zien we elkaar weer?'

'Ja, misschien,' zei François terwijl hij zich omdraaide, en toen hij zijn eerste passen in de andere richting zette: 'Ik hoop het.'

Ook Geertje zette zich in beweging. Ze keek niet meer om. Het was geen afscheid. Ze zouden elkaar weer ontmoeten: het weesmeisje en de onderluitenant van de garde der dragonders.

De ruil

Terug op Geerestein werd Geertje door Tanneke in de keuken opgewacht.

'Meneer wil je spreken,' klonk het afgemeten. 'Hij is ernstig in je teleurgesteld.'

Met hangende pootjes meldde Geertje zich in de salon. Vanuit zijn rookstoel keek Petrus Jodocus haar dwars door een wolk sigarenrook heen doordringend aan. 'Ik wil niet dat dit nog een keer gebeurt, begrijp je dat?'

'Ja, meneer, ik begrijp het.'

'Een meid gaat niet zomaar haar eigen gang. Een meid blijft op haar post.'

'Ja, meneer.'

'Het was mijn bedoeling om je te helpen. Je bent een ondankbaar kind. Ben je dat met me eens?'

'Ja, meneer, dat ben ik met u eens.'

'Mooi, dan praten we er niet meer over.'

Geertje kon het 'ja, meneer' niet nog een keer over haar lippen krijgen. Meneer Petrus Jodocus van Oosthuyse moest niet denken dat hij al haar doen en laten kon bepalen.

'Waar wacht je nog op?'

'Ik wil u graag iets vragen, meneer.' Omdat de rook in haar ogen begon te prikken, deed ze een grote stap achteruit.

'En dat is,' klonk het ongeduldig.

'Zou u niet een goed woordje willen doen voor mijn vader? Hij heeft toch echt niet verdiend dat...'

Van Oosthuyse liet haar niet uitpraten. 'Je overvraagt, Geertje. Ik heb jou willen helpen door je uit de goot te halen en je op te tillen naar het hoogst haalbare niveau. Als je niet uitkijkt, verspeel je je betrekking. En wat moet er dan van jouw toekomst komen? Ik doe het voor jou. Met je vader wil ik niets te maken hebben.'

Hoestend verliet Geertje de kamer. Ze holde de trappen op naar haar dienstbodekamertje en wierp zich op haar bed. De woorden van Van Oosthuyse echoden na in haar oren. Hij had haar glashard duidelijk gemaakt waar haar grenzen lagen. Ze werd nooit een mevrouw. Ze zou haar hele leven personeel blijven. Nooit zou ze iets te zeggen hebben, ze zou alleen luisteren. Maar ze vertikte het om dag in dag uit gedwee, gedienstig, nederig, dankbaar en gehoorzaam in de pas te lopen!

Ze huilde zich in slaap.

Toen ze wakker werd was het nog donker. Stil luisterde ze naar de geluiden die het aanbreken van een nieuwe dag aankondigden.

Plotseling wist ze het zeker: dit was de allerlaatste nacht die ze in zo'n heerlijk droog en warm bed doorbracht.

Vanonder het bed haalde ze haar oude kleren tevoorschijn. Tanneke had ze willen weggooien, maar Geertje had erop gestaan om ze te wassen en ze te bewaren.

'Wat krijgen we nu?' riep Tanneke verschrikt uit toen Geertje zich in de keuken meldde.

'Ik ga,' zei Geertje beslist. 'Laat me alsjeblieft gaan.'

'Maar waarom dan toch, meisje? Je hebt het hier toch goed?'

'Dat is wel zo,' zei Geertje, 'maar ik houd het niet vol om naar andermans pijpen te dansen. Dat heb ik nooit geleerd. En ik wil het niet.'

'Als je dat zo zeker weet, kan ik je niet tegenhouden. Maar ga eerst nog even bij meneer langs. Hij zal je in ieder geval willen betalen voor de tijd dat je hier bent geweest. Want, geloof me, eigenlijk zijn we heel tevreden over je, ondanks dat ongeoorloofde uitstapje met de jonge heer Dumonceau.'

Geertje schudde haar hoofd. 'Nee, ik ga niet om geld vragen. Dan moet ik dankuwel zeggen, en dat kan ik niet.'

'Neem dan in ieder geval iets te eten mee voor de komende dagen,' zei Tanneke en ze begon allerhande eetbaars in een mand te stoppen: worst, kaas, roggebrood, wijn, boter, vijgen, suiker, zout.

'Dank je wel,' zei Geertje toen ze de mand in ontvangst mocht nemen.

'Zie je wel,' zei Tanneke lachend. 'Het gaat je heel goed af om dankbaar te zijn.'

'Ik ben ook heel dankbaar,' zei Geertje. 'Vooral jou, dat je me zo goed geholpen hebt.'

En Geertje ging.

Terug in het kamp van de marketenters ging ze meteen na het begroeten van haar moeder bij de andere kramen langs. Ze had haar verhaal klaar: 'Ik wil u iets vragen. U kent mijn vader, toch? U weet hoe hij is: hij doet zijn best om een boterham te verdienen met het verkopen van snuisterijen. Ik weet dat hij het niet altijd even netjes doet, maar hij bedoelt het goed. Mij heeft hij geleerd om met de honden op te treden. Mijn moeder is wasvrouw. Zo houden we ons in leven. Nu is mijn vader opgepakt voor het ontvreemden van een paar dekens. Dat vergrijp is toch niet zo groot dat hij daar maanden voor moet zitten? Zou u ons niet willen helpen? Kunt u niet een goed woordje voor hem doen bij de schepenen van Utrecht? Meneer Dumonceau heeft het zelf voorgesteld. Hij denkt dat het helpt als u verklaart dat u mijn vader kent als een betrouwbare handelaar. En dat is hij toch ook? Hij heeft u toch nooit benadeeld?'

Ze had gedacht dat de naam Dumonceau wonderen zou

verrichten, maar het plan mislukte. Geen van de kooplieden nam de tijd haar complete verhaal aan te horen. Geertje was al bijna van plan om het op te geven toen ze eindelijk iemand trof die haar tenminste liet uitpraten.

'Wat vervelend voor je,' zei de man die een reusachtige baard droeg. 'En wat vervelend voor je vader. Ik ken hem juist als een uiterst betrouwbare collega. Hij heeft me geweldig geholpen.'

Geertje kon haar oren niet geloven. Zoveel positiefs had ze nog nooit over Friedrich Schmidt gehoord.

'Op een dag was ik mijn horlogeketting kwijt,' ging de koopman verder. 'Laat jouw vader die ketting met toebehoren nou eerlijk hebben gevonden! De volgende dag al stond hij voor mijn neus om te vragen of de ketting van mij was. Je begrijpt dat ik hem daar heel dankbaar voor ben, maar wat ik voor hem kan betekenen weet ik niet.'

'Kunt u niet een brief schrijven waarin u vertelt wat er is gebeurd? Namelijk dat u...'

'Frans van Heijst.'

'Dat u, Frans van Heijst op een dag...'

De koopman schudde zijn hoofd: 'Ik kan niet schrijven.'

Geertje wist meteen wat haar te doen stond. 'Zou u het goedvinden als ik het opschrijf? En wilt u daar dan uw handtekening onder zetten?'

'Natuurlijk. Maak er maar iets moois van. Ook al kan ik niet schrijven, ik verkoop wel schrijfgerei. Hier ergens moet ik papier hebben, een potje inkt en een pen.' Met haar ogen volgde Geertje de bewegingen van de chaotische Frans die luidruchtig zijn spullen overhoop begon te halen. Kisten, kratten, kastjes, dozen, potten; ze gingen allemaal open en dicht. Maar waar de handen van Frans ook doorheen rommelden; papier, inktpot, pen kwamen niet tevoorschijn.

'Wacht, ik weet het al.' Hij bukte zich, verschoof wat, liet iets omvallen, liet een harde scheet en kwam toen met een rood hoofd weer boven de planken uit met in zijn handen een zwartgelakt kistje met wijnrode versieringen.

'Chinees lakwerk,' zei Frans en hij veegde het stof van het kastje. Aan een klein verguld knopje trok hij het eerste laatje open.

'Mis,' zei hij. 'Dit is niet te koop.' Snel gingen zijn handen naar het volgende laatje. Verbijsterd keek Geertje toe. Hoe kort de inhoud van het eerste laatje ook te zien was geweest, het was haar meteen duidelijk welk voorwerp het bevatte en waarom het niet te koop was. In een flits had ze iets blauws gezien en een glinstering van goud. Dat kon maar één ding betekenen: Friedrich had de versierselen van het Legioen van Eer verpatst aan deze koopman.

'Hebbes!' Triomfantelijk liet Frans de vellen papier, het inktpotje en de pennen zien die hij in het derde laatje had aangetroffen. 'Ga zitten, meid. En maak er iets moois van. Dan zal ik mijn best doen om er iets onder te schrijven dat op mijn naam lijkt.'

Geertje ging aan de slag. Terwijl ze schreef, dacht ze koortsachtig na over het geheim in het laatje.

'Wat staat er nu?' vroeg Frans na een poosje.

Geertje zette een punt achter de laatste zin en begon hardop voor te lezen.

Hierbij verklaart ondergetekende, Frans van Heijst, eenmaal te hebben verlooren een stuk of gedeelte van een zilveren horloge-ketting met een sleutel en cachet! En dat deze verloorene ketting etcetera gevonden is door gemelde Friedrich Schmidt, zonder weeten van gemelde Frans van Heijst en vervolgens door hem zonder eenige aanvraag daadelijk is teruggebragt.
Hoogachtend,
Frans van Heijst

'En waar moet dan mijn handtekening?'

'Hier,' wees Geertje. En ze keek naar de bibberige handen van Frans die zijn best deed zijn naam leesbaar op te schrijven, maar die louter inktvlekken produceerde.

'Zo is het goed,' zei ze. 'Dank u wel. Ik ben ervan overtuigd dat dit zal helpen om mijn vader vrij te krijgen.'

'Mooi, dan ga ik weer verder met mijn werk.' Het baardige hoofd verdween weer onder de planken waarop zijn handel te koop werd aangeboden.

Geertje verzamelde al haar moed en zei: 'Ik wil nog iets vragen.'

Er kwam geen reactie.

'Meneer Frans, kunt u mij helpen?'

Vanonder de tafel klonk gemompel: 'Ben je daar nog? Ik dacht dat ik je al genoeg geholpen had.'

Geertje bleef staan waar ze stond. Ze wilde geen wegloper zijn. Deze keer niet.

'Het gaat om het Legioen van Eer!' zei ze luid en duidelijk.

Een harde bons en een hartgrondig 'Au!' wezen erop dat Frans van Heijst zijn hoofd flink had gestoten tegen de onderkant van de planken. Rood van pijn, van schrik of van woede – dat wist Geertje niet zo goed – kwam het rode hoofd van de koopman weer tevoorschijn. 'We-wat he-heb je gezien?'

'Ik wil graag weten hoe u aan die medaille bent gekomen.' Ze wees naar het lakkastje.

'Gaat je niks aan.'

'Mijn vader had er zo een. Hij is hem kwijtgeraakt.'

'Ja, dat zal wel.'

'Als het de medaille is die ik denk dat het is, dan is hij eigenlijk van meneer Du-dumonceau.' Van de spanning ging Geertje meestotteren, of ze wilde of niet.

'Probeer je me een streek te leveren? Is dat waar je eigenlijk voor gekomen bent, om me namens je vader een loer te draaien? Wat stond er eigenlijk in dat briefje dat ik heb getekend? Ben je wel te vertrouwen?'

Het begon allemaal verschrikkelijk uit de hand te lopen. Hoe kon Geertje op alle vragen van Van Heijst een eerlijk antwoord geven zonder het nog verder te verknallen?

Toen zei de koopman met nadruk op elk woord: 'Handel is handel, meisje!'

Die boodschap was Geertje meteen duidelijk. Niet voor niets was ze zelf de dochter van een handelaar in hart en nieren.

'Wat wilt u er dan voor hebben?' blufte ze.

'Ne-nou nou,' was alles wat de man met de baard kon uitbrengen.

'Ik meen het,' hield Geertje vol. 'Noem uw prijs, dan kunnen we kijken of we tot zaken kunnen komen.' Die laatste zin behoorde woord voor woord tot de vaste woordenschat van Friedrich.

'He-hij is niet te koop!' Frans van Heijst rechtte zijn rug en sloeg zijn armen over elkaar. Maar Geertje had zich al gebukt en haar rechterschoen uitgetrokken. Met haar wijsvinger peuterde ze de binnenzool los en haalde het gouden muntje tevoorschijn dat ze een jaar eerder van François had gekregen. 'Dit moet genoeg zijn,' zei ze ferm.

'Het is dat ik he-handelaar ben,' zei de koopman met samengeknepen ogen, anders zou ik het niet hebben vertrouwd: een meisje met zo belachelijk veel geld.' Langzaam ging zijn hand naar het bovenste laatje en trok het open. 'Je dwingt me een onverkoopbaar kleinood van de hand te doen. Nu je weet dat ik het in mijn bezit heb, word ik kwetsbaar voor chantage en dat weet je heel goed. Vrouwen zijn slim. Veel te slim voor een eenvoudige koopman als ik. Dus, hier, kom maar op met dat goudstuk. De medaille is voor jou. En nu wegwezen. Als ik geweten had wat je in de zin had, had ik nooit een goed woordje voor je vader gedaan. Het is maar dat je het weet.'

'Dank u wel, meneer,' zei Geertje. Met haar ogen volgde ze de baan die de medaille door de lucht beschreef. Even slingerde hij heen en weer boven haar geopende hand. Toen landde hij op de palm van haar hand en vouwde ze haar vingers er snel omheen. Nooit, nooit zou ze zich deze kostbare onderscheiding meer laten ontfutselen. Er stond haar maar één ding te doen: zo snel mogelijk de familie Dumonceau opzoeken en de versierselen van het Erelegioen bij de rechtmatige eigenaar terugbezorgen. Met het briefje dat haar vader vrijpleitte in de ene, en de gouden medaille aan het blauw-oranje lint in de andere hand huppelde ze terug naar haar tijdelijke huis in de zandwoestijn.

1810

Kermis in Utrecht

130   Hoeveel teleurstellingen kon een meisje van achttien verdragen? Vijf arme jaren waren voorbijgegaan sinds de bouw van de Marmontberg, die nu door iedereen Pyramide van Austerlitz werd genoemd omdat keizer Napoleon bij dat Tsjechische stadje een overwinning had geboekt op de Russen.

Kort na Geertjes ruil – medaille tegen munt – hadden zij en haar moeder het kamp bij Zeist verlaten. Het door Frans van Heijst ondertekende briefje had zijn werk gedaan. Maria bracht het briefje naar de Hazenberg. Korte tijd later werd Friedrich Schmidt vrijgelaten. Maar op één voorwaarde: dat hij zijn gezicht niet meer in de buurt van de piramide zou laten zien.

'Het is toch niet te geloven,' had Friedrich bij hun eerste ontmoeting in Utrecht gemopperd. 'Hoe kunnen ze een fatsoenlijk mens als mij verbieden op een eerlijke manier zijn geld te verdienen? Ik ben voor twee jaar verbannen. Nou ja, het is ook een verschrikkelijke plek. We mogen blij zijn dat we er weg zijn. Hier in Utrecht moet toch ook wel een boterham te verdienen zijn? Waar zijn de honden?'

Geertje had hij niet begroet. Ze kreeg geen bedankje. Ze was lucht voor hem. En gek genoeg vond ze dat eigenlijk wel best. Friedrich was zoals hij was. Geertje had nu wel genoeg mensen met goede manieren ontmoet. Waren die zoveel beter te genieten dan de grofgebekte en ongeïnteresseerde koopman uit Rotterdam? Tegen hem hoefde ze in ieder geval nooit 'dank u wel' te zeggen.

Met smart in het hart had Geertje de piramide achter zich gelaten. Ze had zo vaak mogelijk achteromgekeken naar het wonderlijke bouwwerk. Ze had François niet meer gezien.

Wat zou er van hem geworden zijn? Had hij moeten optrekken tegen de Engelsen toen die Zeeland binnenvielen? Was hij met zijn garde van dragonders onderweg, ergens op een Russische vlakte?

'Lees dat laatste nog eens voor.'

'Ja, moeder.' Geertje sloeg de krant weer open die ze net had dichtgevouwen.

Franse keizer betuigt spijt

De Franse keizer heeft openlijk gezegd dat hij nooit zijn broer Lodewijk had moeten aanstellen als koning van Holland. 'Ik had hem opgedragen de Hollanders meer belasting te laten betalen in verband met mijn strijd tegen de Russen, en wat doet mijn broer? Hij gaat naar Leiden om de slachtoffers van een ramp te helpen. Een koning is geen reddingswerker.'

Desgevraagd beweerde koning Lodewijk dat hij binnenkort naar Parijs zal vertrekken om het meningsverschil met zijn broer, de keizer, op te lossen. Ondertussen is hij zoals hij zelf zegt: 'Zeer druk met het invoeren van een decimaal stelsel, hetgeen een enorme vooruitgang is voor de handel.'

Tot slot kan worden gemeld dat koningin Hortense op huize Vollenhove in Bilthoven is gesignaleerd. De prins heeft er een rijtoer gemaakt in een bokkenwagen. De kleine Napoleon is door zijn oom, keizer Napoleon Bonaparte, aangewezen als diens opvolger. Het is bekend dat vader Lodewijk hier pertinent op tegen is. Ook hierover zullen de ruziënde broers naar alle waarschijnlijkheid een paar stevige noten moeten kraken.

'Arm prinsje,' zei Maria.

'Wat is dat toch voor flauwekul met dat zogenaamde decimale stelsel?' vroeg Friedrich zich hardop af. 'Wat is er mis met duimen, ellen en voeten?'

'Omdat je een grote duim hebt, en meestal op te grote voet

leeft,' antwoordde Geertje lachend. 'Maar als er klanten bij je kraam staan en er moet iets worden afgemeten, zijn je duimen en je voeten ineens heel erg klein geworden.'

Friedrich zette grote ogen op. Voor hij tegen Geertje kon uitvallen, zei Maria: 'Ze heeft gelijk, Schmidt. Je moet met gelijke maten meten. Daar kan dat koninklijke stelsel je bij helpen. Maar waar had ik het ook al weer over? O ja, over die schapen van kinderen die in koetsen de hele wereld worden over gezeuld.'

'Die lui moeten niet klagen,' meende Friedrich. 'Hoeveel paleizen hebben ze nu tot hun beschikking? Het paleis op de Dam, paleis Soestdijk, Welgelegen in Haarlem, Amelisweerd bij Utrecht, noem maar op. En kijk eens naar ons? Wij wonen nu al weer voor het vijfde jaar in een krot in een Utrechtse achterbuurt. Wanneer gaat voor ons de zon eens schijnen? Bijna was mijn dochter onder de pannen bij een rijke boer in Woudenberg. En wat doet ze? Weglopen! Even dacht ik dat we een kansje hadden om op te stoten naar de betere kringen. En wat doet freule Geertje? Ze zet het op een lopen. Hoe oud ben je nu?'

Geertje zweeg. Ze dacht aan Hannis en aan François. Die waren ondertussen natuurlijk al lang en breed verliefd, verloofd of misschien zelfs getrouwd. Ze hadden hun toekomst in kannen en kruiken.

'Achttien, Friedrich,' zei Maria. 'Dat weet je best.'

'Het leven is één grote teleurstelling,' besloot Friedrich.

Geertje knikte. Dat waren ware woorden.

Plotseling voelde ze iets nats. Knakkers ruwe tong schraapte langs de muis van haar hand. Ze werd er vrolijk van. Het gebeurde vaak dat een van de honden erin slaagde haar op te beuren. Alsof de dieren aanvoelden wat haar bezighield.

'Je hebt gelijk, Knakker,' zei ze. 'We moeten aan het werk. Kermis in de stad. Ga jij die ouwe Thor eens wakker maken.

En heb jij het kroontje van Marie-Antoinette misschien gezien? Zoek! Zoek dan!'

Natuurlijk begon het bibberhondje meteen als een gek rond te rennen, op zoek naar iets waarvan hij zelf geen idee had. Honden hielden nu eenmaal van zoeken. Geertje zelf hield meer van vinden.

Op het Vredenburg was al veel volk op de been. Geertje zocht een geschikte plek voor haar eerste optreden. Ze koos een plekje in de zon waar koetsjes af- en aanreden. Om de aandacht van het publiek te trekken, liet ze de honden een liedje blaffen. Mensen met een goed gehoor konden er met een beetje moeite het liedje *Altijd is Kortjakje ziek* in herkennen. Deze keer kwam er niet veel meer dan gegrom uit de hondenkelen. Eigenlijk werd Thor te oud voor dit soort kermisvermaak, maar ze kon hem niet missen als onderhond.

'Hup, hup, hup!' riep Geertje en Knakker sprong boven op de rug van Thor en nam de staart van Thor in zijn bek. Daar bleef hij parmantig staan wachten tot Marie-Antoinette Thors kop beklom en haar poten op zijn rug legde. Samen draaiden de drie honden een rondje. Geertje boog en nam het magere applaus in ontvangst. Tijd voor de hoepels. Thor klemde de hoepel in zijn bek en hield hem omhoog zodat de andere honden erdoor konden springen. Eerst alleen en toen samen,

uit tegenovergestelde richtingen. Het applaus klonk al iets guller.

Geertje riep Knakker bij zich. Het hondje knielde braaf voor haar neer. 'Ogen dicht!' gebood ze. En Knakker legde braaf zijn pootjes over zijn ogen. 'Marie-Antoinette, verstop je!' Het poedeltje trippelde zoekend in het rond en besloot zich onder Geertjes rokken te verstoppen. 'Knakker, zoek!' Knakker sprong op en rende zoekend rond. Sommige kinderen in het publiek begonnen het diertje luidkeels aanwijzingen te geven.

'Daar, kijk daar nou! Hij zit onder haar rokken.'

'Heeft dat stomme beest geen neus?' vroeg een goed geklede heer met een reusachtige knevel zich af. Met zijn rijkversierde stok prikte hij in de richting van Geertjes rok. Knakker deed of hij niets zag. Hij keek strak voor zich uit. Zoals Geertje met de honden had geoefend, was dit het moment dat Marie-Antoinette tevoorschijn schoot om zich onder andere rokken te verstoppen. Plotseling zag Geertje tot haar verbazing onder wiens rokken Knakker gekropen was, het was Errisje, de moeder van Hannis. Was Hannis er ook? Snel liet ze haar ogen langs de omstanders glijden. Ze zag hem nergens. Wat ze wel zag, was de hand van een vingervlugge dief die naar het borstzakje van de rijke puntsnor reikte. Even zag Geertje de weerkaatsing van de zon op het horlogedeksel. Ze twijfelde. Wat moest ze doen? 'Houd de dief' roepen? Of net doen of ze niets had gezien en haar show redden zodat ze gewoon geld kon ophalen? Voor ze haar beslissing had genomen, riep iemand luid: 'Knakker, goud!'

Als een pijl uit de boog verdween Knakker tussen het publiek. De omstanders weken uiteen om niets te hoeven missen van het spektakel. Op een meter of tien van Geertjes speelplek kroop de zakkenroller overeind. Scheldend en tierend maakte hij zich uit de voeten. Knakker kwam op een sukkeldrafje terug, liep rechtstreeks naar een paar mooie zondagse klompen en legde daarop het gestolen horloge neer.

'Nou breekt mijn klomp!' zei de man met de snor toen Hannis hem zijn eigendom teruggaf.

'Applaus!' riep iemand.

Geertje viel het grootste applaus ten deel dat ze in haar hele leven als hondentemster had ontvangen.

'Ik heb nog nooit zo'n geraffineerde show gezien,' sprak de man die zijn horloge terugstopte in zijn vestzakje. Uit een van zijn andere zakken haalde hij een munt en stopte die de verbijsterde Geertje toe.

Tevreden ging Geertjes publiek uiteen, op zoek naar nieuw vermaak. Eén jongen bleef staan: Hannis. Ze keken elkaar aan.

'Wat doe jij hier?' vroeg Geertje.

'Leuk je weer eens te zien,' zei Hannis.

Samen wandelden ze over het plein, langs de slangenbezweerders, de steltlopers, de muzikanten, de dansers en de vrouwen met de baarden. Geertje luisterde naar het geklos van Hannis' klompen op de stenen. Hannis vertelde honderduit over Woudenberg en over Austerlitz, het dorpje dat was ontstaan door de samenvoeging van de buurtschappen Marmontville, Bois-en-ville en Petitville. Daarna informeerde hij vrolijk of Geertje wel wist dat Petrus Jodocus van Oosthuyse niet alleen heer van Spar en Dal in Driebergen was geworden, maar dat hij er door de aankoop van de ridderhofstad Rijsenburg in was geslaagd om zelf tot de adel door te dringen. 'Eigenlijk moet je hem tegenwoordig graaf Petrus Jodocus noemen. En hoe gaat het met jullie? Is je vader nog steeds op het slechte pad?'

'Met mijn vader gaat het heel goed,' zei Geertje. 'Hij is dan wel geen graaf geworden, met een eigen kasteel, maar we hebben het in Utrecht heel wat beter dan in dat stomme soldatenkamp.'

'Een oude vos verliest wel zijn haren, maar nooit zijn streken,' zei Hannis.

Geertje dacht aan Vos, haar dode vriendje. Ze dacht aan de streek die Hannis haar had geleverd. Ze keek naar Knakker, het stomme beest!

Hannis trakteerde op bier en gepofte kastanjes.

'Zie je die kooi, daar?' zei Geertje. 'Daar begint vast een echte wilde dierenshow.' Ze wees naar een paar kooiwagens met leeuwen, een tijger en een panter.

In afwachting van wat er ging gebeuren, lieten Geertje en Hannis zich op een paar hooibalen zakken. Zo hadden ze uitzicht op het hele beestenspul.

'Dus, nu weet je het,' zei Hannis.

'Ik wist het al!' zei Geertje.

'Het spijt me. Het is gewoon begonnen als een grap. Knakker kun je alles leren. Op een dag leerde ik hem om glimmende dingen op te sporen. Ik hoefde maar "goud" te roepen of hij kwam met iets waardevols aanzetten. Sommige mensen denken dat boeren rijk zijn. Maar als zoon van een boer heb ik niets. Geen cent. Toen was de verleiding groot Knakker te gebruiken om wat bij te verdienen. Maar bij de tent van Dumonceau ging het mis. Hij schrok en liet de medaille in het zand vallen. Het was natuurlijk nooit mijn bedoeling dat hij jouw Vos de stuipen op het lijf zou jagen waardoor hij door paardenhoeven zou worden vertrapt.'

Geertje wist niet goed wat ze met de ontboezemingen van Hannis aan moest. Moest ze hem de dood van Vos kwalijk nemen? Of moest ze hem verwijten dat hij haar met de dader had opgezadeld?

'Moet je nu eens kijken,' zei Hannis. 'Wat een rare ezels, met die witte en zwarte strepen!'

'Dat zijn zebra's,' wist Geertje.

Vlak voor hun ogen werd de kooi met zebra's opengedaan. De twee dieren sprongen op de grond en keken angstig in het rond, alsof ze ergens bang voor waren.

'Ik zie het al,' zei Hannis. 'Zulke dieren kan ik op het land niet gebruiken.'

'Het zijn wilde dieren,' zei Geertje. 'Ze komen uit Afrika. Kom, we gaan kijken.' Op het moment dat ze opsprong om niets van de voorstelling te hoeven missen, werd ze tegengehouden door mannen die houten hekken voor hun neus neerzetten.

'Wie wil kijken, moet betalen!' snauwde een van de mannen hen toe.

Of ze wilden of niet, Geertje en Hannis werden verdrongen van hun plekje op de eerste rang.

'Als je wilt, kunnen we in de rij gaan staan voor een kaartje. Ik betaal wel.'

'Nou, nou, wat ben jij ineens gul,' liet Geertje zich ontvallen. 'Lukt het je nu toch om geld te verdienen zonder loophond?'

Voor Hannis kon antwoorden, werden ze opnieuw van hun plek verdreven. 'Opzij, opzij!' Er werd geduwd en getrokken. Koninklijke dragonders stuurden hun paarden dwars door het publiek en forceerden een doorgang voor een open rijtuig dat door vier glanzende hengsten werd getrokken. De toeschouwers rekten hun halzen om te zien wie de hoge bezoeker was die het Domplein werd op gereden.

Het antwoord kwam van een tamboer die zijn trom roerde en vervolgens luidkeels 'Maak plaats voor de koning!' riep.

Even was Geertje teleurgesteld. Een kort moment had ze de kans afgewogen op een ontmoeting met François en zijn vader. Haar hand gleed naar beneden, naar de zak van haar rok waarin ze de gouden medaille veilig had opgeborgen.

'Wil je kijken?' vroeg Hannis. Hij tikte met zijn handen op zijn schouders om te laten zien vanaf welke plek het uitzicht op de koninklijke intocht beter zou zijn.

Geertje knikte. 'Ja, goed.'

Hannis vouwde zijn handen samen om een opstapje voor haar te maken. Geertje zette er een voet op en hees zich aan zijn schouders omhoog. Toen ze zat, vroeg Hannis nieuwsgierig: 'Wat zie je?'

'Niet veel bijzonders,' zei Geertje. 'Alles wat ik zie zijn mannen met berenmutsen.'

'Zie je François?'

'Nee, die zie ik niet.' Geertje probeerde niet teleurgesteld te klinken. 'Wacht, nu zie ik dat het rijtuig naar de rand van de piste wordt gereden. Ja, nu zie ik ook koning Lodewijk. Tenminste, ik neem aan dat hij de koning is. Volgens mij is de koningin er ook bij. Ja, ik zie een vrouw. En nu zie ik ook een kind. Dat zal wel dat prinsje van vijf zijn. De kleine Napoleon. Draai je eens een beetje om.'

Hannis bewoog zich gewillig naar links.

'Ze gaan beginnen!' riep Geertje uit. Er maakte zich een enorm gevoel van opwinding van haar meester. Kijk haar eens! Hier zat ze boven op de schouders van Hannis naar een circusopvoering te kijken in gezelschap van niemand minder dan de koninklijke familie.

'Wat is dat voor geluid?'

Geertje liet haar blik langs de kooiwagens gaan. 'Dat is het gebrul van een leeuw,' zei ze na een poosje.

'Dat zijn toch gevaarlijke beesten,' klonk het een beetje benauwd. 'Hoor ik daar niet het geluid van een hek dat wordt opengeschoven?'

'Ze laten hem heus niet los hoor,' zei Geertje. 'Wat je hoort is de apenkooi. Jammer dat je niet kunt zien wat de apen doen.'

'Wat doen ze dan?'

'Ze trekken gekke bekken. Nu worden ze aan een tafel gezet en krijgen ze te eten. Een van de apen schenkt wijn in. Die andere zit met mes en vork te eten. Ze voeren elkaar. En nu...'

'Wat zie je nu? Zeg nou wat je ziet. Door het gelach kan ik je niet horen.'

'Ze... ze... smeren het eten in elkaars haren. Het prinsje moet daar ontzettend om lachen en daarom gaan de toeschouwers ook steeds harder lachen.'

'Nou, leuke boel, hoor,' zei Hannis. 'Ik laat je weer zakken.'

'Nee, wacht! Ze hebben de apen weer opgesloten en nu...'

Met grote verbazing keek Geertje toe hoe een beer uit zijn kooi werd losgelaten. Op de een of andere manier deed de beer niet wat zijn oppasser wilde. Met een ruk maakte het beest zich los en ging aan de wandel. Een golf van ontzetting ging door het publiek. Sommige mensen probeerden halsoverkop weg te komen. Ergens klonk een schreeuw: 'Schiet hem dood!' Sommige dragonders grepen meteen naar hun geweren en legden aan.

Geertjes ogen schoten heen en weer van de beer naar de koninklijke familie.

'Wat gebeurt er?' riep Hannis.

'De beer is ontsnapt en hij... hij rent op het rijtuig van de koning af.'

'We moeten iets doen!' riep Hannis. 'De honden. Waar zijn de honden?'

'Achter je!' riep Geertje terug.

Plotseling klonk de stem van Hannis overal bovenuit. 'Knakker! Drijven!'

En tussen de benen van de omstanders schoot Knakker naar voren. Zonder ook maar een moment te aarzelen rende hij op de beer af en dwong hem woest blaffend stil te blijven staan. Toen begon hij, als een echte schaapshond, rondjes om het wilde beest te rennen. Langzaam deinsde de beer achteruit.

'Hij doet het. Hij doet het!' schreeuwde Geertje. 'En kijk nou, daar heb je Marie-Antoinette ook. Ze gaat Knakker helpen. Nu rennen ze samen rondjes. De beer is verslagen!'

Er ging een zucht van opluchting door het publiek toen de beer zich door zijn oppasser terug in de kooi liet opsluiten.

'Van wie zijn die honden?' werd er geroepen.

Geertje boog zich voorover naar Hannis en zei: 'Zet me op de grond!' Maar Hannis schudde zijn hoofd en zei: 'Het zijn toch jouw honden? De mensen willen je bedanken.'

Met een kop als vuur nam Geertje het applaus in ontvangst, alsof ze zojuist een act had opgevoerd.

Plotseling stond er een dienaar van de koning voor Geertje. Hij keek naar haar op en vroeg beleefd: 'Ik moet u namens de koning zeggen dat hij grote bewondering heeft voor de manier waarop uw honden in actie kwamen. U bent een groot artiest. Aangenomen dat u bij dit dierencircus hoort, wil de koning graag weten of u bereid bent mee te reizen naar zijn paleis in Soestdijk.'

'Ik?' vroeg Geertje verbaasd. 'Ik hoor hier helemaal niet bij. Hannis en ik waren gewoon nieuwsgierig, en toen...'

'Het zal de koning spijten om dat te horen,' sprak de dienaar en hij verdween weer in de menigte die niets van het schouwspel wilde missen zolang er een echte koning in hun midden was, ook al was het dan eigenlijk een Franse.

Eindelijk zette Hannis Geertje terug op de grond. 'Hè, hè,' zei hij met een pijnlijk gezicht terwijl hij met zijn handen zijn schouders kneedde.

'Knakker! Marie-Antoinette!' riep Geertje.

Als eerste kwam Knakker bibberend en met de staart tussen de poten op haar af. Hij keek haar smekend aan alsof hij bang was om straf te krijgen.

'Ach, wat een zielig beestje,' zei een van de omstanders.

'Het beestje is ziek.'

'Er mankeert hem helemaal niets,' zei Geertje. 'Zo doet hij altijd.'

Achter Knakker kwam Marie-Antoinette eraan getrippeld. Het poedeltje keek alsof het iets groots had verricht en dat het tijd was om de beloning in ontvangst te nemen.

'Geef die beesten iets lekkers!' riep iemand uit het publiek.

En plotseling regende het stukken brood, kaas en worst. De honden wisten van gekkigheid niet wat ze het eerst moesten grijpen. Knakker hapte in een stuk brood, maar liet dat onmiddellijk weer los toen hij een stuk kaas voor zijn bek kreeg. En toen hij zag dat Marie-Antoinette een vette worst van de straatstenen had opgeraapt, dook hij op haar af.

'Kom,' zei Geertje, 'we gaan.' Maar voor ze ook werkelijk ging, raapte ze eerst al het lekkers van de straat. Ze stond met haar handen vol brood, kaas en worst toen er plotseling werd geroepen: 'Heeft iemand dat meisje met de honden nog gezien?'

Daar was de dienaar van de koning weer. Of ze wilde of niet, Geertje werd voor de tweede keer aan een spervuur van vragen onderworpen.

'Mag ik vragen hoe u heet, wie u bent en wat u hier doet? Ik moet u van de koning de volgende boodschap overbrengen:

hij zou u graag als dierenverzorgster aan zijn hofhouding willen toevoegen.'

'Mij?'

'Koning Lodewijk van Holland heeft besloten de hele beestenboel op te kopen. Zijn zoon, prins Napoleon, is gek op dieren. En omdat het de koninklijke hoogheden bijzonder spijt dat u geen deel blijkt uit te maken van deze menagerie, biedt hij u een betrekking aan als personeelslid van zijn dierentuinstaf. De koning gaat een dierentuin stichten. De beestenboel zal morgen worden verhuisd naar het paleis te Soestdijk. Zou u zo vriendelijk willen zijn mee te gaan om het transport van de exotische dieren te begeleiden? Uw honden zijn vanzelfsprekend meer dan welkom.'

De dienaar was uitgesproken. Hij wachtte niet op antwoord, maar draaide zich om en verdween.

Geertje bleef perplex achter.

'Moet je doen!' zei Hannis. 'Dit is een geweldige kans.'

'Maar...' Geertje dacht aan Friedrich, aan Maria, aan Utrecht en aan haar toekomst. 'Misschien heb je gelijk,' zei ze eindelijk. 'Het is een kans.'

Ze liepen in de richting van Geertjes huis, in het krottenwijkje achter de Dom. Hoe dichter ze bij huis kwam, hoe zenuwachtiger ze werd.

'Sommige dingen moet je niet vragen, die moet je gewoon doen,' zei Hannis. 'We zijn nu oud genoeg om beslissingen te nemen.'

Geertje knikte. Toen zei ze zacht: 'Heb jij me niet ooit een wegloper genoemd?'

'Je gaat niet weg,' antwoordde Hannis. 'Je gaat gewoon ergens anders heen, ergens waar je een betere toekomst hebt.'

'En jij dan?' vroeg Geertje. 'Ligt jouw toekomst op de boerderij?'

'Nee,' zei Hannis. 'De hoeve is voor mijn broer. Er komt een dag dat ik voor mezelf ga beginnen. Ik ga paarden fokken.'

Achter de Dom namen ze afscheid. Ze gaven elkaar een hand, zoals grote mensen dat doen.

'Tot ziens,' zei Geertje, hoewel ze niet zo zeker wist of ze de boerenzoon uit Woudenberg ooit weer zou zien.

Thuis legde Geertje met een triomfantelijk gebaar het verdiende geld en het opgeraapte eten op tafel. Maar met het vertellen van haar verhaal en haar besluit wachtte ze net zolang tot ze hun bonensoep ophadden en met hun handen over hun gevulde magen streken.

'Ik kan niet meer,' zei Friedrich tevreden. 'Hoe kwam je nou aan die verrukkelijke worst?'

Toen sloeg Geertje toe. Ze vertelde het hele verhaal in één lange zin. Zonder punten en komma's. Ze wilde niet dat Friedrich aan een adempauze genoeg had om haar te onderbreken. Ze eindigde haar verhaal met de kans die haar geboden was. En dat die kans eigenlijk een gebod was, een koninklijk gebod dat niemand natuurlijk mocht negeren.

'Dus,' zei ze tot slot, 'straks pak ik mijn spullen in, want morgenvroeg moet ik me melden op het Domplein. En ik neem Knakker en Marie-Antoinette mee.'

Maria was in tranen. 'Maar meisje, hoe kom je daar nou bij? Zou je dat nou wel doen? Het zijn toch allemaal wilde beesten? Denk toch eens aan alle gevaren die zo'n beroep met zich meebrengt. Hoe weten we dan waar je bent? Hoe weten we dat het goed met je gaat? Je vader en ik kunnen je echt niet missen, hè, Friedrich?'

Geertje zag hoe haar moeder met haar zakdoek een paar opwellende tranen depte en tegelijkertijd de reactie van haar man probeerde te peilen.

Nu kwam het eropaan.

'Nou ja,' begon Friedrich aarzelend. 'Wat moet ik daar nou op zeggen?'

Geertje keek verbaasd toe hoe de man die nooit om een woord verlegen zat, naar woorden zocht.

'Ik was precies zo oud als jij toen ik van huis ging. Ik wilde een leven voor mezelf. Ik ging het leger in, op zoek naar vrijheid. Maar in het leger danst iedereen naar de pijpen van de legerofficieren. Al die jongens met hun grote bekken houden hun mond als het bevel "Klaar voor de aanval, vuur!" klinkt. Ik zal het nooit vergeten, iedereen lachte zich kapot om die Franse generaal die aan de overkant van de rivier stond. Het hele volk riep: "Wat nu, wat nu, zei Pichegru." Maar Pichegru wist heel goed wat hij deed. Hij stak doodleuk de bevroren rivier over. En wij maar schieten. Alsof we ze daarmee konden tegenhouden! Vier, vijf heb ik er omgelegd. Het ijs kleurde rood. Dat was mijn bijdrage aan het land. En wat heb ik ermee bereikt? Niets! Wie hoor je nu nog protesteren tegen de Fransen? Alles is hier Frans. De gulden is Frans. De rechtspraak is Frans. De maten en gewichten zijn Frans. De koning is Frans. En nu gaat mijn eigen dochter nota bene voor de Franse koning werken.'

Terwijl Friedrich zijn ontboezemingen deed, staarde hij onafgebroken in zijn lege soepbord. Geertje wachtte gespannen af. Ze begon ongerust te worden op de goede afloop. Ze had alles verwacht: schelden, tieren, treiteren, dreigen... Maar dit?

Plotseling sloeg Friedrich met zijn vuist op tafel, richtte zijn blik op Geertje en zei: 'Kortom, je moet maar doen wat je wilt. Mijn zegen heb je. Als je maar goed weet dat er niemand in de wereld op je zit te wachten. Die Fransen hebben hun mond vol over burgers en hun burgerrechten, maar ons soort volk telt niet mee. Als wij zelf niet knokken om uit de goot te komen, blijven we ons hele leven een stelletje arme stakkers. Dus, laat ons maar aan ons lot over, misbaksel. Geef die Fransen van katoen. Laat niet over je heen lopen!'

En dat was het. Verder werd er geen woord meer aan vuilgemaakt. De volgende ochtend brachten Maria en Friedrich haar naar het Domplein.

'Ik schrijf jullie,' zei Geertje zo opgewekt mogelijk, hoewel ze wist dat haar ouders niet konden lezen.

'Wat een enge beesten,' zei Maria. 'Moet je daar echt voor gaan zorgen?'

'Leuk juist,' zei Geertje. Maar toen het tijd was om te vertrekken, koos ze voor de zekerheid toch maar niet voor de wagen die de leeuwen vervoerde. Voor op de bok van de wagen met de zebra's voelde ze zich meer op haar gemak.

'We zullen je missen,' zei Maria die moeite moest doen om zich groot te houden.

Het aftreden

Napoleon Lodewijk Bonaparte was de eerste koninklijke hoogheid die Geertje in haar leven ontmoette. Bij de intocht van de beestenboel op huize Welgelegen aan de rand van Haarlem kwam hij meteen naar buiten rennen. Het kon niet missen, deze geüniformeerde vijfjarige kleuter was de zoon van koning Lodewijk. Als kroonprins was hij de rechtstreekse opvolger van zijn oom, keizer Napoleon. Het kind werd op de hielen gezeten door zijn gouvernantes die 'Ho!' en 'Stop!' riepen. Dat was niet nodig, want de kleuter hield op grote afstand van de karren halt en riep, wijzend met zijn handje: 'Beer! Beer! Beer!'

Achter het kind en zijn kindermeisjes doemden ook koningin Hortense en koning Lodewijk op. Dat was het moment waarop dompteur Léon van de bok sprong, een diepe buiging maakte en verslag uitbracht aan de koning van de barre tocht die het dierentransport had afgelegd van Utrecht via het paleis in Soestdijk, waar de omwonenden al snel steen en been klaagden over het gebrul van de leeuwen, naar Haarlem. Geertje zoog alles in zich op: het paviljoen, de tuinen, het prinsje, de koning, de koningin. Ademloos keek ze naar deze wondere wereld die tot dan toe alleen in haar dromen bestond.

'Het zal majesteit verdrieten als hij hoort dat de oude leeuw door onbekende oorzaak is komen te overlijden,' smiespelde de dompteur.

Geertje wist wel beter. Het uitgemergelde dier was totaal verwaarloosd.

'Ik zal mijn generaal naar u toe sturen om de gang van zaken met u te bespreken,' zei de koning. 'Vertel hem wat de dieren nodig hebben. Er moet ook een plek gevonden worden om ze te huisvesten. Ik ben van plan om een dierentuin te stichten waar alle burgers vrij entree kunnen krijgen. Het rijk van de kunsten, de muziek en de wetenschap behoren het gewone volk toe. Ook van het dierenrijk kan de mens iets leren.' Toen draaide hij zich om naar zijn vrouw. Die wierp hem een vernietigende blik toe. 'Jij, met je verschrikkelijke plannen!' beet ze hem toe. 'Dit is mijn huis, mijn tuin. Die beesten stinken. Ze zijn gevaarlijk. Ik wil ze hier niet hebben!'

Het gezicht van de koning liep rood aan. Even leek het of hij zijn mond ging opendoen om zijn vrouw weerwoord te geven, maar toen klemde hij zijn lippen op elkaar en beende met grote passen terug naar het grote huis. Koningin Hortense bleef als een standbeeld staan. Er liepen tranen over haar wit gepoederde gezicht.

'Napoleon, kom!' zei ze plotseling. En met opgetrokken rokken verdween de koningin met de gouvernantes en het prinsje naar binnen.

'Gezellige boel, hier,' zei Léon.

De generaal dook al snel op. Hij stelde zich voor als 'Generaal Bruno' en begeleidde hen naar het koetshuis. De koetsen werden naar buiten gereden zodat er plaats vrij kwam voor de kooiwagens. Uit de boxen klonk zenuwachtig gesnuif en geschop. De geur van de roofdieren had de gevoelige neuzen van de koninklijke paarden al bereikt. Geertje kreeg als slaapplek een brits aangewezen tussen de staljongens.

Generaal Bruno nam Geertje apart en zei: 'Ik heb gehoord dat je goed met dieren overweg kunt. Als je een snelle leerling bent, kun je hier promotie maken. Die Léon is een slapjanus. Ik probeer hem zo snel mogelijk te lozen. Hij lijkt me een dierenbeul. Heb ik dat goed gezien?'

Geertje besloot de dompteur niet de hand boven het hoofd te houden en zei: 'Ja, dat heeft u goed gezien.' Ze vertelde er niet bij dat ze onderweg de stellige indruk had gekregen dat de dompteur het geld dat hij voor de verzorging van de dieren had gekregen zelf verbraste.

Al snel werd de hele veestapel verzorgd door Geertje. Toen ze alles van Léon geleerd had wat er te leren viel, stuurde generaal Bruno hem de laan uit. Geertje vroeg de generaal naar boeken over wilde dieren. Toen ze die een paar dagen later kreeg, bestudeerde ze die net zolang tot ze wist wat de Sumatraanse tijger, de zwarte panter, de beer, de leeuwin, de wolf, de twee zebra's, de chimpansees en de pratende kaketoes nodig hadden. Maar wat de dieren ook te eten kregen, ze bleven rusteloos.

'Wilde dieren hebben ruimte nodig,' zei Geertje tegen de generaal.

'Heb geduld,' sprak de rechterhand van de koning.

Ook Knakker en Marie-Antoinette voegden zich zonder moeite naar het leven op het luxe buitenhuis. Ze sloten onmiddellijk vriendschap met Tiel, het straathondje dat koning Lodewijk had meegenomen na een bezoek aan de stad Tiel, de stad die ten prooi was gevallen aan hoogwater. Het beestje was pardoes in de koninklijke koets gesprongen, waarna de koning de toegesnelde wachters ervan weerhield het beest aan zijn nekvel naar buiten te sleuren door te zeggen: 'Ik hou hem, ik noem hem Tiel.'

Zo goed het met de honden ging, zo slecht ging het met de roofdieren. De panter krabde zich tot bloedens toe. De tijger deed niets anders dan met zijn kop schudden. Dat deed hij zo hard dat iedereen die ernaar keek er duizelig van werd.

Geertje riep generaal Bruno erbij. 'Het gaat niet goed met de dieren,' zei ze. 'Wat moet ik doen?'

'Majesteit heeft plannen,' zei de generaal. 'Er gaat iets gebeuren. Je moet goed begrijpen dat er aan deze hele vertoning over niet al te lange tijd een einde komt.'

'Aan de beestenboel?' vroeg Geertje ongerust.

'Aan het koninkrijk!' luidde het antwoord. 'De grote keizer Napoleon is ontevreden over het werk van zijn jongere broer. Zeer ontevreden! Als er geen verbetering in de situatie komt, zie ik het somber in.'

'Situatie?' probeerde Geertje.

'Er moeten belastingen worden opgebracht. De keizer heeft ambities.'

'Ambities?'

'Hij wil zijn macht verbreiden tot ver voorbij de horizon. Maak ik mezelf zo duidelijk? Oorlog voeren kost geld. En dat geld moet worden opgebracht door alle bevriende landen. Lodewijk is in de ogen van zijn grote broer een slappeling. Laat me je dit vertellen: heb je de koningin gezien? Heb je gezien hoe ongelukkig ze is? Ze weigert nog een stap over de drempel te zetten van dat verschrikkelijke paleis op de Dam.' De generaal zette een hoge nek op, tuitte zijn lippen en riep met een hoog stemmetje: 'Het is een gevangenis. Hoor je me? Het is een gevangenis. De paddenstoelen groeien er op de muren. Niets dan kale muren. En klinkers rondom. Geen gazon, geen rozerie, geen fontein, geen bosschages. Niets. Ik kan er niet langer tegen.' En vervolgens met zijn gewone stem: 'Zo zijn we hier terechtgekomen, op Welgelegen, een buitenhuis met een grote tuin.'

'Ik vind het hier mooi,' zei Geertje. Ze hoopte dat Bruno het mis had met zijn sombere voorspellingen en dat ze hier haar hele leven kon blijven.

Twee weken later bereikte Geertje het nieuws dat koning Lodewijk een geschikte plek had gevonden voor zijn dierentuin: de Hortus Botanicus in Amsterdam.

Met pijn in het hart vertrok Geertje uit Haarlem. Generaal Bruno bracht haar in een koets naar haar nieuwe woonplek. 'Om kwartier te maken,' zoals hij dat noemde. Daarna volgde nog een waarschuwing: 'Ik moet je eerlijk zeggen dat de biologen niet zo heel blij zijn met die wilde beestenboel. De enige dieren die ze normaal tussen hun planten dulden zijn bijen en vlinders. Je had hun gezichten moeten zien toen ze te horen kregen wat hun boven het hoofd hing.'

Eenmaal aangekomen in de beroemdste plantentuin van Amsterdam, trof Geertje de deskundigen er in opperste verwarring aan.

'Ze wennen wel aan je,' fluisterde generaal Bruno haar toe.

'Aan mij wel,' zei Geertje. 'Maar of ze ook aan de dieren zullen wennen, betwijfel ik.'

Met grote tegenzin wezen de biologen de oranjerie aan als voorlopige huisvesting voor de dierentuin. Nu het zomer was stonden alle tropische kuipplanten buiten. 'Voor even, moeten we dit maar toestaan,' lieten de biologen weten. 'Als de koning maar snel een besluit neemt over de plek waar hij zijn dierentuin wil stichten. Het is toch te gek voor woorden dat onze drakenbloedbomen straks om de aandacht van het publiek moeten wedijveren met een stel steppezebra's!'

'We zullen u heus niet tot last zijn,' zei Geertje in een poging hun angsten te bezweren.

Maar toen de dieren een paar dagen later kwamen en de panter bleek te brullen, de apen bleken te stinken en de kaketoes lelijke scheldwoorden bleken te roepen, moest Geertje alles op alles zetten om zich tussen het gestudeerde volk te handhaven.

Weer was het Knakker die zich opwierp om het ijs te breken. Alles wat hij daarvoor hoefde te doen was op een dag triomfantelijk met een dode mol op te komen draven. De biologen waren aangenaam verrast. De mollen maakten hun het leven zuur. Misschien nog wel zuurder dan de wilde dieren.

Het kostte Geertje weinig moeite om Knakker als mollenvanger op te leiden. Nu ze iets kon terugdoen voor de veroorzaakte overlast, steeg ze in de achting van haar gastheren.

Maar de dierentuin liet op zich wachten. Wekenlang hoorde Geertje niets over de plannen van de koning.

Geertje greep elke gelegenheid aan om de colleges en de determineerlessen van de biologen bij te wonen. In korte tijd leerde ze de namen van al die wonderlijke bomen die eigenlijk in de oranjerie thuishoorden zodra de herfst aanbrak: de citroen-, de olijf- en de palmbomen.

Soms dwaalde ze door de plantenkassen en oefende ze net zolang tot ze alle planten, struiken en bomen bij naam kende: koffieplant, drakenbloedboom, broodboom, kokerboom... Maar de allermooiste naam was van een onuitroeibaar plantje met maar twee bladeren: tweeblaarkanniedood.

Op een dag kwam generaal Bruno haar opzoeken. Blij liep ze hem tegemoet, klaar om verslag uit te brengen. Maar ze zag meteen aan zijn gezicht dat er iets mis was.

'Je hebt het waarschijnlijk al gehoord?' begon hij. 'De koning is vertrokken.'

Alles wat Geertje wist, was dat Hortense was gevlucht naar Italië. De koningin hield het niet meer uit in het koude Holland. Omdat ze de kleine prins Napoleon bij zijn vader had achtergelaten, zou ze heus wel weer terugkomen, dacht Geertje.

'De koning gaat toch wel vaker weg?' zei Geertje. 'Ik hoor dat hij soms naar Duitsland gaat om in geneeskrachtige bronnen van zijn kwalen te genezen.'

'Het is definitief,' zei de generaal beslist. 'Hij heeft afstand gedaan van de troon.'

'Hebben we nu geen koning meer?' vroeg Geertje verbaasd.

'Jawel,' zei de generaal. 'Hij heeft de troon overgedragen aan zijn zoon.'

Geertje kon haar oren niet geloven. 'Aan Napoleon? Die is vijf!'

'En toch is het waar. Hij heeft zijn kind achtergelaten onder de hoede van de ministers. Zolang hij niet volwassen is, worden alle beslissingen voor hem genomen.'

'En de dierentuin?' vroeg Geertje die plotseling begon te vrezen voor haar eigen toekomst.

'Er komt geen dierentuin, Geertje,' zei de generaal. 'Dat is de reden waarom ik je vandaag kom opzoeken. Ik wilde het je zelf vertellen.'

'En de dieren dan?' wilde Geertje weten.

'Ik weet het niet. Ik denk niet dat de ministers willen betalen voor de verzorging van de wilde dieren. De schatkist is leeg.'

Geertje verzamelde al haar moed om de laatste vraag te stellen. Plotseling voorzag ze dat ze met hangende pootjes terug moest gaan naar het krotje van Friedrich en Maria in Utrecht. Ze had hen in de afgelopen jaren twee keer gezien. De bewondering voor wat Geertje had bereikt, was van hun gezichten te lezen geweest.

'Nou, dan ga ik maar weer,' zei generaal Bruno.

Geertje had nog steeds haar laatste vraag niet gesteld. Gelukkig kwamen de biologen in de oranjerie kijken, waardoor de generaal gedwongen was zijn verhaal nog een keer te doen.

'En Geertje dan?' De biologen stelden de onuitgesproken vraag uit Geertjes mond.

'Nu de koning is vertrokken, kan de regering niet langer verantwoordelijk zijn voor de dierentuin.'

'En Geertje dan?' vroegen de biologen weer.

De generaal haalde zijn schouders op. 'Het klinkt minder aardig dan ik het bedoel, maar Geertje hoort bij wijze van spreken bij de dieren.'

153

Even was het stil, toen spraken de biologen in koor: 'Dan hoort ze van nu af aan bij de planten.'

In de krant las Geertje een paar dagen later dat keizer Napoleon had ingegrepen. De Bataafse Republiek had opgehouden te bestaan. Nederland was ingelijfd bij Frankrijk. Eigenlijk bestond Nederland niet meer, maar was het een provincie geworden van het grote Franse keizerrijk.

Geertje dacht aan het kleine geüniformeerde prinsje dat ze in paviljoen Welgelegen had ontmoet. Hoe zou het hem zijn vergaan? Zou het kind ook weet hebben van zijn situatie? Ook dat stond in de kranten die Geertje onder ogen kreeg.

Na vijf dagen is een eind gekomen aan het koningschap van de jonge Napoleon Lodewijk. In opdracht van zijn oom, de keizer, is hij met een koets opgehaald en overgebracht naar de residentie van de keizer: Parijs.

Nu pas is ook bekend geworden dat Tiel, het hondje van de voormalige koning Lodewijk, op weg naar Wenen is omgekomen. In hofkringen wordt gefluisterd dat de koning wellicht meer verdriet heeft om het verlies van zijn geliefde huisdier dan om het afscheid van zijn kind. Bekend is dat de twee onafscheidelijk waren.

Naar men zegt heeft de koningin bij de eerste ontmoeting met haar zoontje in tranen uitgeroepen: 'Het is afgelopen! Je bent geen prins meer! Je bent niemand meer!'

Nadat de wilde dieren een voor een het leven lieten of werden verkocht, legde Geertje zich helemaal toe op het verzorgen van de exotische planten, struiken en bomen. In het bijzonder van het plantje tweeblaarkanniedood.

Samen met haar honden Knakker en Marie-Antoinette bleef ze wachten op haar kansen.

1814

De inhuldiging

In de volgende vier jaar stierven Geertjes beide hondjes. Eerst vond ze de stokoude Marie-Antoinette dood tussen de sinaasappelbomen in de oranjerie, een paar weken later blies Knakker zijn laatste adem uit. Nadat hij haar een laatste keer had aangekeken, legde hij zijn kop in haar schoot en deed zijn ogen dicht. Ze begroef hem naast Marie-Antoinette onder de Japanse ginkgo.

Ze bracht haar dagen door in de kassen: onkruid wieden, planten besproeien, stekjes stekken en bladeren opvegen. De biologen waren nog steeds tevreden over haar. 'Maar,' zeiden ze, 'in dit stuurloze land waarin de wetenschap aan haar lot wordt overgelaten, kunnen we helaas niet langer voor je zorgen.'

Of ze wilde of niet, Geertje moest plannen maken. En als er niet snel een oplossing kwam, moest ze haar laatste strohalm gebruiken: terug naar Friedrich en Maria.

Toen werd het 30 maart en keerden plotseling haar kansen.

Geertje werd die dag al vroeg wakker. Ze was er plotseling van doordrongen dat dit de dag van haar leven werd. Ze waste zich, deed haar haar in een staart, haalde haar oude soldatenjas uit haar klerenkist, borstelde hem schoon en trok hem aan. Nu ze geen kind meer was, zat hij als gegoten. Voor de zekerheid stak ze haar hand in haar zak. Het stelde haar gerust het koude metaal en het zijdezachte lint te voelen.

Hoe dichter ze bij het centrum van de stad kwam, hoe drukker het werd. Koetsjes reden af en aan. Hele gezinnen wandelden in colonne naar de Dam om niets te hoeven missen van de inhuldiging van prins Willem VI die voortaan door het leven zou gaan als koning Willem I.

Dit werd Geertjes tweede ontmoeting met een koninklijke hoogheid. De eerste was een Fransman die door zijn broer op de troon was gezet. Nu kreeg Nederland eindelijk een koning van eigen bodem. Nu alle Fransen definitief waren verdwenen, was Willem van Oranje-Nassau gevraagd om koning te worden. Want een land zonder koning was als een land zonder volkslied, als een land zonder vlag. En prins Willem had ingestemd, ook al kreeg hij lang niet zoveel te vertellen als hij had gehoopt. Hij moest zich erbij neerleggen dat de regering het land bestuurde, en niet hij. Nu liep heel Amsterdam en heel het land te hoop om het inhuldigingsfeest mee te maken. Overal hingen bloemenslingers. Overal klonk muziek. Geertje verheugde zich op wat er komen ging: het dansen op straat, het afsluitende vuurwerk. Maar het meest keek ze uit naar de optocht. Wie zouden er allemaal meerijden? Ze moest een goed plekje vinden. Als het lukte, wilde ze daar staan waar ze uitstapten om te voet verder te gaan, over de rode loper, op weg naar de ceremonie in de kerk.

Eenmaal in de buurt van de Dam kwam ze nog maar moeizaam vooruit. Door sommige mensen werd ze uitgescholden: 'Hé, rooie, kan je niet uitkijken?' Het kon haar niets schelen. Ze maakte zich zo klein mogelijk en ging net zolang door met wringen en duwen tot ze op de Dam stond. Daar wachtte haar een teleurstelling. Ze stuitte op een houten tribune. Plotseling moest ze weer denken aan de tribune in het kamp in Zeist. Toen had ze zich ook niet laten tegenhouden. Sterker nog, die tribune had haar geholpen om een plekje op de eerste rang te vinden.

In de verte klonk tromgeroffel, hoefgetrappel, klaroengeschal. Ze moest snel zijn. Het was nu of nooit. Tussen een paar gelaarsde benen door nam Geertje een duik het donker in. Ze worstelde zich naar voren tussen de kruisbalken die de constructie overeind hielden. Het werd een moeizame tocht. Jammer genoeg was ze niet meer het lenige grietje dat ze elf jaar eerder was. Eindelijk bereikte ze de voorkant van de tribune. Ze probeerde tussen de lange rokken door te kijken, maar die waren te weelderig om ook maar een glimp op te kunnen vangen van de stoet die op dat moment voorbijtrok. Ze schoof op tot ze een paar mannenbenen trof die genoeg ruimte boden om op de straat te kunnen uitkijken. Alles wat ze zag, waren de onderlijven van marcherend legervolk, draaiende wielen en trappelende hoeven. Af en toe ving ze een glimp op van een gezicht. Het was niet genoeg om iemand te kunnen herkennen.

Uit alle macht zette Geertje zich met haar voeten tegen een kruisbalk in een poging met haar bovenlijf tussen de zitplanken en de voetenplanken omhoog te komen. Vergeefs. Ze was even vergeten dat een tweeëntwintigjarige vrouw heel wat groter en stijver is dan een kind van twaalf. De optocht was voorbij. Ze kon nog net zien dat de laatste hoge gasten over de rode loper in de richting van de kerk verdwenen.

Terwijl ze met haar handen de plank voor haar losliet, merkte ze tot haar schrik dat haar voet klem zat tussen de kruisbalken. Om te voorkomen dat ze zou vallen, greep ze het eerste beet dat haar handen konden vinden. Het was een glimmend zwarte laars. Het been in de laars gaf een ruk om los te komen.

'Help!' schreeuwde Geertje terwijl ze de laars nog altijd omklemde.

Iemand bukte zich voorover en riep verbaasd uit: 'Kijk nu eens! Die mouw, dat is de mouw van mijn oude jas!'

Geertje kon haar oren niet geloven. Als ze de benen van François had gevonden, kon zijn familie niet ver weg zijn.

François' gezicht verscheen boven haar. 'Wat doe jij hier?'

Beteuterd keek Geertje in het verbaasde op-de-kopgezicht van François.

'Ik kom het goedmaken,' zei Geertje. 'Kun je me helpen?'

Het gezicht van François verdween. Nu klonk er boven het

hoofd van Geertje een boze stem die het François verbood om met het gepeupel onder de tribune te converseren.

'Maar het is Geertje!' hoorde ze François tegenwerpen. 'U weet wel, dat meisje van de hondenshow!' Dat was absoluut geen aanbeveling, want nu verscheen het gezicht van François' vader in beeld.

'Laat onmiddellijk de benen van mijn zoon los,' beet hij haar toe.

'Maar ik moet u spreken!' riep Geertje wanhopig. 'Dit is mijn laatste kans.'

'Niet hier, niet nu. En liever nog: helemaal nooit. Je brengt ongeluk!'

'Hè, vader, toe nou. Ze bedoelt het goed.' Daar was het hoofd van François weer. Hij pakte haar handen en probeerde haar tussen de planken door omhoog te tillen. Met een hoofd als een boei stond Geertje uiteindelijk tussen de divisiegeneraal en zijn zoon in. De ogen van de oude Dumonceau spoten vuur.

'Ik heb nog iets voor u,' zei Geertje. Ze moest haast maken want de divisiegeneraal had zo te zien weinig geduld met haar. Ze stak haar hand in haar rechterzak en trok de medaille er aan het lint uit. Geertje liet de gouden onderscheiding heen en weer bungelen voor de ogen van generaal Dumonceau. 'Hij lag naast het houten schuurtje, achter uw tent. Knakker heeft hem gevonden.'

De generaal keek verbijsterd toe. 'Hoe...?'

Geertje zocht naar woorden. 'Eerst dacht ik dat Vos... Maar toen bleek dat... Nou ja, ze zijn dus per ongeluk verwisseld. Die van u, en die uit de koker...'

De divisiegeneraal griste de medaille uit Geertjes hand en begon hem aan alle kanten te betasten.

'Wat geweldig, vader!' riep François uit. 'Geertje vertel, hoe gaat het met je?'

'Och,' zei Geertje, 'het gaat wel goed, geloof ik.' Ze nam de tijd om hem eens goed te bekijken, de jongen die haar had geleerd dat iedereen gelijk is. Hoe gelijk waren ze nu nog, de generaalszoon en het weesmeisje?

François' vader spuugde in zijn zakdoek en deed verwoede pogingen om het eremetaal glanzend schoon te wrijven.

'En jij?' vroeg Geertje aan François.

'Nu wel weer goed,' zei François. 'We hebben een moeilijke tijd achter de rug. Mijn vader en ik hebben samen in Rusland gevochten. Mijn vader is daar ernstig gewond geraakt. Napoleon heeft verloren. Hij is afgezet en verbannen naar Elba.'

Geertje probeerde te bedenken wat dat voor de familie Dumonceau betekende. Was er nog wel een toekomst voor hen in Nederland? De Fransen hadden verloren. Sterker nog, ze waren weggejaagd. Nederland was een vrij land.

'Mijn vader wordt binnenkort benoemd tot persoonlijk adviseur van de koning,' ging François verder.

'Koning Willem?' riep Geertje verbaasd uit. 'Maar die is toch van Oranje? En jullie stonden toch aan de kant van de Fransen?'

'Nu is alles anders,' zei François. 'Nu staan we aan de kant van het nieuwe koninkrijk Nederland. Mijn vader heeft een adellijke titel gekregen. Die hoop ik ooit nog eens van hem te erven, dan word ik graaf François Dumonceau. O ja, ik moet je ook nog aan iemand voorstellen...'

Hij deed een stap opzij en wees naar een jonge vrouw die Geertje vriendelijk toelachte. 'Dit is mijn verloofde.' En toen, tegen de jonge vrouw: 'Thérèse, dit is Geertje, het meisje over wie ik je vaak heb verteld. We kennen elkaar van de piramide, je weet wel, dat wonderlijke bouwsel tussen Woudenberg en Zeist.'

De jonge vrouw stond op en maakte een lichte buiging.

'Ik ben Geertje Schmidt,' zei Geertje.

'Thérèse Anne Ghislaine d'Aubremé,' zei de jonge vrouw. 'Wat leuk om je nu eens in het echt te ontmoeten. Ga je ook naar de inhuldiging?'

'Ik?' vroeg Geertje. 'Nee, dat is niks voor mij. Ik woon in de Hortus. Daar heb ik voor de dieren van koning Lodewijk gezorgd. Maar die zijn allemaal dood of verkocht. Nu zijn de enige levende wezens waarmee ik omga de vlinders en de bijen. En de biologen niet te vergeten, maar die zeggen nooit zoveel.'

Plotseling voelde Geertje een hand op haar schouder. Het was die van generaal Dumonceau. 'Hoe kan ik je bedanken, Geertje? Kan ik misschien iets voor je doen?'

Geertje keek hem niet-begrijpend aan.

'Wat een goed idee,' zei François die kennelijk wel begreep waar zijn vader op doelde. 'Misschien wil de nieuwe koning wel verdergaan met het werk dat koning Lodewijk moest afbreken. De nieuwe koning is gek op dieren. Ik heb gehoord dat hij in de tuin van zijn paleis giraffes houdt.'

'In Haarlem en in de Hortus heb ik de wilde dieren van koning Lodewijk verzorgd,' zei Geertje trots.

'Zie je wel,' zei François triomfantelijk. 'Ik wist wel dat je het ver zou schoppen! Ben je ooit nog in de buurt van de piramide geweest?'

Voor Geertje iets kon zeggen, ging François verder: 'Ik heb hem Thérèse laten zien, hè Thérèse? Thérèse kon haar ogen niet geloven. Ze wilde weten wie dat exotische bouwwerk had gemaakt. Toen heb ik haar verteld dat het achttiendui-zend mannen waren en één meisje.'

'Hoe bedoel je, één meisje?'

'Zeg nou eerlijk, Geertje, je hebt toch ook meegeholpen?'

'Hoe kom je daar nou bij?'

'Weet je nog dat ik, samen met anderen, de namenlijst moest samenstellen van alle mensen die aan de piramide meewerkten? Ik schreef de laatste bladzijden van de lijst. Toen heb ik helemaal onderaan jouw naam geschreven: Geertje Schmidt. Ik vond dat je het verdiende.'

'Wat grappig,' zei Geertje. 'Ik heb trouwens echt meegeholpen met de bouw. Ik heb vier scheppen zand in een zak gegooid. Een soldaat heeft die zak omhoog gedragen en leeg gestort.'

'Wat zei ik?' zei François lachend. 'Weet je trouwens wie ik ook heb ontmoet in Austerlitz? Petrus Jodocus van Oosthuyse! Hij is nu heer van Rijsenburg. Hij heeft acht oude officiersbarakken gekocht. Die heeft hij laten opknappen om er arme mensen in te kunnen huisvesten. Je zou Petrus Jodocus kunnen vragen of je...'

Geertje begreep de hint. François deed werkelijk zijn best om haar te helpen. Ze moest weer eens op bezoek gaan bij Maria en Friedrich. Misschien zouden ze in zo'n opgeknapte barak in Austerlitz heel wat beter af zijn dan in hun krotje in Utrecht.

'Nou, tot straks dan maar,' zei François. 'Bij het vuurwerk. Kom je dan ook? Je hoeft heus niet onder de tribune te blijven zitten, hoor. Dan zorg ik gewoon voor een plekje bij ons op de bank. Hè, Thérèse?'

Thérèse knikte vriendelijk.

Het werd tijd om te gaan. Geertje keek nog eens goed naar de generaal die nog altijd zijn verbazing niet te boven was. Ze keek naar Thérèse, de oogverblindend mooie aanstaande schoondochter in haar mooie zijden jurk. En ten slotte keek ze naar François die binnenkort vast zelf generaal zou worden, niet van het Franse leger, zoals zijn vader, maar van een Hollandse divisie.

Toen legde ze even haar hand op François' onderarm en zei: 'Tot ziens. En nog bedankt voor je jas!'

'Wacht nou, blijf nog even. We vinden het leuk om met je te praten. Hè, Thérèse? Je ziet hoe dankbaar mijn vader is.

Als je hem even de tijd geeft, komt hij vast en zeker met een plan. We moeten een goed plan voor je toekomst bedenken.'

'Ja, fijn,' zei Geertje. 'We zien elkaar bij het vuurwerk.' Ze draaide zich om en schreed in haar oude soldatenjas trede voor trede de tribune af.

'Is dit echt het hele verhaal?'

Op een dag stapt de schrijver de klas van de jongen en het meisje binnen. Verlegen gaat hij op de stoel van de juf zitten. Voor hem op het bureau van de juf ligt zijn manuscript, maar hij kijkt er niet naar. Met zijn blik zoekt hij de jongen en het meisje.

'En, wat vonden jullie ervan?' vraagt hij zacht.

'Mooi, hoor,' zegt het meisje snel. 'Maar wat ik graag wil weten: is dit echt het hele verhaal?'

'Ja, dit is het. Wat had je dan nog meer gewild?' vraagt de schrijver. 'Meer is er niet.'

Het meisje zoekt naar woorden.

De jongen geeft haar een duw. 'Zeg het nou maar! Je had gewoon gewild dat die Geertje iets zou krijgen met die boer, die Hannis Lagerweij. Dat willen meisjes toch altijd? Ze willen romantiek!'

Het meisje schokt wat met haar schouders. De kinderen om haar heen giechelen wat.

De schrijver let er niet op. Hij schudt zijn hoofd en zegt: 'Onmogelijk. In het gemeentearchief van Woudenberg heb ik een huwelijksakte gevonden. Hannis trouwde toen hij 33 was. Hij trad in het huwelijk met Elisabeth van Ginkel. Ze kregen drie kinderen: Nicolaas, Evertje en Errisje. Hannis is altijd in Woudenberg blijven wonen.'

Dan mengt ook de juf zich in het gesprek. 'Mag ik ook iets vragen?'

De schrijver knikt.

'Als ik helemaal eerlijk ben, had ik het Geertje wel gegund om iets met François te krijgen. Ze voelden toch voor elkaar? Ik weet dat het niet gebruikelijk was in die kringen, maar Geertje had het toch verdiend om een stapje hogerop te komen.'

'Ik ben het helemaal met u eens,' antwoordt de schrijver. 'Maar helaas was dat ook onmogelijk. Ik zal u vertellen wat ik over François te weten ben gekomen. Hij heeft jarenlang een dagboek bijgehouden.

Dat is op zich al heel bijzonder, zeker voor een jongen die langer dan tweehonderd jaar geleden leefde. Dat heeft natuurlijk alles met die tijd te maken, met de verlichting. Daar heeft u de kinderen vast al over verteld. Het was plotseling belangrijk wat mensen dachten en voelden. Maar goed, François trouwde met ene Thérèse. Ze kregen al snel twee dochters: Cécile Jeanne Anne Agnes Mélanie en Agnes Apoline Emélie. In 1827 heeft François de piramide nog een keer bezocht. Dat las ik in zijn dagboek. Ongetwijfeld wilde hij hem zijn kinderen laten zien. In die tijd was het een gewild uitstapje: een dagje naar de piramide. Er kwam al snel een uitspanning en een speeltuin. En langzaam raakte de heide weer begroeid met bos. De mensen moesten door het bos wandelen om de piramide te kunnen zien.'

'En Geertje?'

Zonder te kijken weet de schrijver dat het uitgerekend de jongen is die de vraag stelt, de jongen die van fantasieverhalen houdt. 'Ik heb geen idee,' zegt hij schouderophalend.

'Hoe bedoelt u, geen idee?'

'Ik heb nergens kunnen achterhalen wat er van haar geworden is. In 1838 is er in Amsterdam een dierentuin gesticht: Artis. Ik zou me kunnen voorstellen dat Geertje Schmidt daar heeft gewerkt, maar zeker weten doe ik het niet.'

'Jammer, hoor,' zegt de juf. 'Dus daarom heeft het verhaal een open eind? Omdat u niets over Geertjes verdere leven hebt kunnen vinden?'

'Ja, zo gaat dat nu eenmaal met geschiedenis. Sommige dingen kun je terugvinden, andere niet. Alles wat bekend is over Geertje, weten we van haar pleegvader Friedrich, dat heeft alles te maken met zijn veroordeling. U weet wel, vanwege het stelen van die vijf dekens. Hij zat opgesloten in de kerkers van de Hazenberg, het stadhuis van Utrecht. Hij had het geluk dat een collega een goed woordje voor hem deed. Daarna is hij uit het verbeterhuis ontslagen.'

'Dus als hij niks had gestolen, hadden we niets over hem en dus ook niets over Geertje geweten?' wil de jongen weten.

'Inderdaad, zo werkt dat. Door de verslagen van de rechtbank weten we dat hij een pleegdochter had, dat hij marketenter was en dat ze een hondenshow opvoerden.'

'U hebt een heleboel raadsels opgelost,' zegt de juf.

De schrijver knikt. 'Het is eigenlijk wel gek dat die piramide het enige monument in ons land is dat herinnert aan de Franse tijd. Nergens staat een standbeeld van koning Lodewijk. In Tiel is er zelfs geen monumentje opgericht ter ere van het hondje van de koning: Tiel. Dat zou toch eigenlijk nog eens moeten gebeuren. Daar heeft dat hondje recht op. De Fransen hebben een heleboel goede dingen in ons land gedaan: de verdeling van het land, het regelen van de rechtspraak, het instellen van de gulden en van het decimale stelsel.'

'Maar hoe zat dat nou met die versierselen die de vader van François kreeg omgehangen?' De jongen is nog altijd niet uitgevraagd.

Het duurt lang voor de schrijver antwoord geeft. 'Het spijt me, ik kan jullie niet alles vertellen. Een schrijver heeft zo zijn geheimen.'

De jongen geeft niet op. 'En waar is die zilveren knoop gebleven, die knoop van de jas van François' vader?'

'Wisten we het maar,' zegt de schrijver. 'Het zou geweldig zijn als hij ooit door iemand werd gevonden. Dan kan hij worden tentoongesteld in het bezoekerscentrum.'

'En die koker dan?'

'Je bedoelt die loden koker waarin de namenlijst, de munt en de medaille zaten verstopt? Eerst kreeg ik te horen dat de vinders hem naar het Rijksmuseum hadden gebracht. Dat leek heel logisch, want dat is het museum dat door koning Lodewijk is gesticht. Maar daar was hij niet. Het Rijksmuseum beweert dat zij de koker hebben uitgeleend aan het Legermuseum. Toen ik ernaar informeerde, zeiden ze daar dat hij is teruggestuurd naar het Rijksmuseum. Kortom, het ding is nergens te vinden. Hij is verdwenen. Je zou kunnen zeggen: dat is echt hét raadsel van de Pyramide van Austerlitz.'

De Pyramide van Austerlitz

Kom je ook de Pyramide van Austerlitz beklimmen?

Die is een paar jaar geleden helemaal gerestaureerd. Bovenop staat een stenen obelisk, die in 1894 in de plaats is gekomen van de houten obelisk die al in 1808 werd afgebroken. Op de Pyramide zijn veel informatieborden die over de geschiedenis vertellen.

Wil je meer weten over de Franse Tijd, dan moet je in het informatiecentrum zijn. Ben je daar uitgekeken, dan is er vlakbij ook nog een heel leuke speeltuin.

Je kunt ook informatie opzoeken op www.defransetijd.nl en www.pyramidevanausterlitz.nl.

Tot ziens bij de Pyramide.

Lees ook van Arend van Dam:

Werken voor de vijand

Hoog in de lucht naderde een groep jachtvliegtuigen.
Albert verstijfde. Hij zat hier toch wel veilig, in de cabine van zijn
vrachtwagen? Hij keek naar de wagens voor hem. Die stopten
plotseling. De chauffeurs sprongen een voor een uit hun cabines en
lieten zich in de greppels langs de kant van de weg vallen.
Albert bleef zitten. Hij omklemde zijn stuur...

Albert droomt ervan om vrachtwagenchauffeur te worden.
Die droom komt uit, maar op een heel andere manier dan
hij had gehoopt. Net als 500.000 andere jongens en mannen
wordt hij gedwongen in Duitsland te gaan werken.
Voor de vijand.

Op de vlucht

Groenlo is bevrijd! Terwijl het Spaanse leger de stad uit trekt,
zoeken Bregje en Harmen wanhopig naar Engel, het paard
van Bregjes oom. Zonder zijn paard verdient Bregjes
oom niets, en dan kan Bregje niet langer bij hem blijven
wonen. Ze moeten Engel terugvinden!
Hebben de Spanjaarden Engel opgegeten of hebben ze hem
stiekem meegenomen? Tijdens hun zoektocht ontdekken
Bregje en Harmen een achtergebleven Spaanse soldaat.
De soldaat smeekt hen hem te helpen. Hij is op de vlucht
en heeft dringend een paard nodig...

Veel dingen waarover je in dit verhaal leest, kun je nog
echt zien in Groenlo. Er is zelfs een speciale wandelroute
waarmee je langs alle plekken komt waar Bregje en
Harmen zijn geweest.

Camp de Leist 1807.